Gerhard Fasching / SPRENGSATZ WISSENSCHAFT

GERHARD FASCHING

Sprengsatz Wissenschaft

Vom Ende unserer Zivilisation

EDITION VA bene ENE

Clemens und Martin gewidmet.

Die Deutsche Bibliothek - CIP-Einheitsaufnahme

Fasching, Gerhard:

Sprengsatz Wissenschaft -
Vom Ende unserer Zivilisation/
Gerhard Fasching

Wien, EDITION VA BENE, 1993
ISBN 3-85167-014-0

Umschlaggestaltung: Gerhard Fasching
Repro: Strichpunkt, Ebreichsdorf
Satz: Gerhard Fasching
Filmherstellung: PWS-Fotosatz, Fohnsdorf
Druck und Bindung: Ueberreuter, Korneuburg

Printed in Austria

ISBN 3-85167-014-0

Inhalt

Prolog
Vom fälligen Privilegienabbau

Naturwissenschaft und Technik genießen
für gewöhnlich eine unwidersprochene
Priorität. Dieses Privilegium gilt es abzu-
bauen.

Die *Naturwissenschaft* nimmt heute einen umfassenden Raum ein: Von der Physik und Chemie, der
Biologie und Medizin, der Geologie, Mineralogie
und Meteorologie reicht sie bis zur Astronomie.
Und diese Erkenntnisse praktisch nutzbar zu machen, hat sich die *Technik* zum Ziel gesetzt.

Insbesondere von Seiten der Naturwissenschaft
und Technik wird immer wieder die Ansicht vertreten, daß es zum rationalen naturwissenschaftlich-
technischen Vorgehen keine ernstzunehmende Al-
ternative gäbe. Alles, was jenseits dieser Rationalität
liegt, führe unweigerlich zurück in die Steinzeit.
Die Fehler, die man gestern bedauerlicherweise gemacht hat und die sich heute als Beeinträchtigungen
und Schäden überall zeigen, seien nur durch eine
sorgfältigere Technik und eine ausgefeiltere Naturwissenschaft zu beheben. Wer sonst könnte denn
Sensoren samt Auswerteelektronik entwickeln, die

die Grenzwertüberschreitungen eines industriellen Aushauches registrieren und Gegenmaßnahmen einleiten? Und so fort. Es gilt also weiterzumachen - das oft zitierte Rad der Geschichte läßt sich nicht zurückdrehen.

Sagt man.

Hier in diesem Buch soll der Versuch unternommen werden, von innen her, also aus dem Verständnis der Naturwissenschaft und Technik heraus, der Frage nachzugehen, wie sie es fertig gebracht haben, sich zum *alleinigen* ernstzunehmenden Weg zu mausern. Die Antwort, die wir finden werden, ist verblüffend: Es ist ein Irrtum gewesen, daß der Naturwissenschaft und Technik diese Priorität zugestanden wurde. Ein Privilegienabbau ist also fällig. Die Monokultur von Naturwissenschaft und Technik gilt es zu beseitigen.

Von einem Tabu ist also die Rede.

Kapitel 1
Das große Fressen hat ein Ende

Auch trüben Augen wird es sichtbar: Wir sind dem Kollaps näher als wir dachten. Unsere vollautomatische Schlaraffenwelt hat ihre Energie verpulvert. Wir werden zur Kasse gebeten, doch leider haben wir nichts mehr im Portemonnaie.

Die plattfüßige Zweckmäßigkeit und Effektivität ist seit ein paar hundert Jahren unser alleiniges Leitbild. Alle anderen Bilder, die aus den Bereichen der Kunst, des Glaubens, der Philosophie samt Ethik und aus den Bereichen der tiefen Lebensweisheit anderer Kulturen stammen, hat man - als Irrationalität diffamiert - bestenfalls als bunte Randverzierung geduldet. Es mag in dieser Situation ein Trost sein, daß auch Hofnarren als Spaßmacher an früheren Fürstenhöfen vielfach hochgebildete Ratgeber waren. Allerdings ist die Ratgeberfunktion heute verloren gegangen. In vorauseilendem Gehorsam haben sich jedenfalls manche aus jenen Randgebieten noch eilends ein rationales Mäntelchen umgehängt, um nicht gänzlich unterzugehen. Doch dieses Mäntelchen hat ihre Scham kaum verdeckt, denn es hat auch dieses schellenbesetzte Kleid beliebig viele irrationale Lücken.

Ein zerbrochenes, kaleidoskophaftes Bild zeigt diese Naturwissenschaft und Technik. Für eine legitime autoritative Vormachtstellung gegenüber anderen Bildern reicht das sicher nicht. Ist es verwunderlich, daß ein in sich zerbrochenes Bild, als *einzige* Richtschnur genommen, den Menschen und die gesamte Schöpfung in den sicheren Untergang führt?

Aber Naturwissenschaft und Technik haben uns doch viele Vorteile gebracht! Noch nie ist es uns so gut gegangen! Jürgen Dahls Worte rütteln uns da auf und die Schamröte steigt einem ins Gesicht ob dieses fadenscheinigen Argumentes unseres eigenen Wohllebens:

"Zynisch ist es da, Wohlstand und Überfluß zu preisen, während wir zugleich im eigenen Dreck ersticken und die halbe Welt in bitterer Armut versinkt. Vierzigtausend Kinder verhungern tagtäglich in dieser Welt. Die Hungrigen aber, sagt da der Zynismus, sind selber schuld, wenn sie hungern, und jedenfalls tun wir alles, was in der Macht der Marktwirtschaft steht, um ihren Hunger zu stillen."

Der Zynismus wird aber noch ins Unerträgliche gesteigert, wenn man bedenkt, daß wir es ja selbst waren, die in diese fremden Kontinente den Hunger exportiert haben. Wir haben diese Länder erobert und ausgeplündert, wir haben ihren Bewohnern unser Denken und unseren Glauben aufgedrängt, unsere Medizin samt unseren Medikamenten, unsere monokulturelle Landwirtschaft samt Kunstdünger und Pestiziden. Wir haben ihnen unseren Handel aufgezwungen samt Kredit und Schulden und samt Weltbank, damit sie uns heute billiges Futter liefern für unser ohnehin zu fettes Mastvieh oder damit sie uns Aluminium schenken für unsere Getränkedosen, die wir nach dem Gebrauch in den Müll werfen.

Dabei sind wir sicher nicht herzlos! Wir beklagen in teilnehmenden Worten ihr Schicksal, sind an folkloristischen Reiseangeboten interessiert und nützen relativ ungeniert ihre Situation als unerschöpflichen Markt.

Unser Einfluß war es, der die bei ihnen in Jahrtausenden gewachsenen Strukturen und Strategien des Lebenskampfes mit Natur und Umwelt zerstört hat. Wir waren es, die dieser Dritten und Vierten Welt Armut und Hilflosigkeit brachten. Wir haben das aus der anmaßenden Vorstellung heraus, daß "alles machbar ist", zuwege gebracht.

Naturwissenschaft und Technik waren das Goldene Kalb. Ihrer Überzeugungskraft sind bald alle Arten anderen Denkens zum Opfer gefallen. Ein gigantischer Prozeß geistiger Erosion und Zerstörungsarbeit ist unbemerkt abgelaufen. Nicht nur in der Dritten und Vierten Welt! Auch unser Denken, unsere Bilder, die uns leiten, sind dabei zusammengeschrumpft auf den Rest einer fragwürdigen Zivilisation.

Fragwürdige Zivilisation

Das Prinzip unseres Wirtschaftens besteht darin, Rohstoffe in Abfälle zu verwandeln.[2] Auf diesen einfachen Nenner bringt der bekannte Berliner Abfallexperte Professor Fülgraff unser heutiges Müllproblem. Geologische Prozesse haben in Jahrmillionen Lagerstätten geordneter Materie entstehen lassen, die von uns in wenigen Jahrzehnten verbraucht, zerstreut und auf Abfallhalden verteilt werden. Die einfachsten Dinge des täglichen Lebens sind heute hochtechnisierte Produkte, die immer raffinierter und komplexer gebaut werden, wodurch eine verantwortliche Entsorgung zuletzt unmöglich ist. So versuchen Sie doch einmal selbst die giftigen Schwermetalle aus Ihrer alten elektrischen Zahnbürste oder Ihrer Wegwerfuhr herauszunehmen, bevor Sie diese in den Abfallkübel werfen! Das geht ja oft gar nicht ohne Spezialwerkzeug! Wertvolle Rohstoffe, aber auch Gifte verteilen sich auf diese Weise unkontrollierbar über die ganze Erde. In jedem Liter Luft - auch in jenem, den Sie gerade eingeatmet haben - befindet sich heute eine Billion Moleküle des Lösungsmittels Tetrachlorethylen[3], von dem man vermutet, daß es Krebs erzeugt. In der Hauptsache entsteht Müll, weil wir der Produkte überdrüssig werden, oder weil sie von vornherein zum Wegwerfen gedacht waren. Geschäumte Kunststofftassen, auf denen Nahrungsmittel in Einkaufszentren zum

Verkauf angeboten werden, sind schon beim Nachhausekommen nach dem Auspacken zu schwer verrottbarem Abfall geworden. Von der Einmalwindel für Babys bis zur Einwegkamera, die nach der Belichtung des Filmes in den Müll geworfen wird, führt ein gerader Weg. Auch die Geburtstagstelegramme, die eine hochgiftige Batterie enthalten, um ein Geburtstagsständchen zu piepsen, wandern nach einmaligem Trällern in die Mülltonne. *Fragwürdige Zivilisation!*

Wenn es konkret um Bodenschätze geht, dann ist man im allgemeinen nicht sehr feinfühlig und zimperlich. Da steht ja etwas auf dem Spiel und es erübrigt sich, hinter der vorgehaltenen Hand zu operieren. In Neuguinea etwa plündern fremde Mächte den Goldschatz und räumen die Papua aus dem Weg.[4] Gebirge und Dschungel, Sümpfe und undurchdringlicher Wald haben die Papua bis zuletzt vor der Gier des weißen Mannes bewahrt. In den achtziger Jahren war es dann so weit. Riesige Bagger brachen in die unberührte Natur ein und erschlossen die Erzmine am Ok Tedi River. Hunderttonnenweise werden dort von den USA, Australien, Papua New Guinea und Deutschland Gold, Silber und Kupfer gefördert. Unglaubliche Mengen von Abraum entstehen dabei, die vom erzscheidenden, giftigen Cyanid durchsetzt sind. Die Regenfluten schwemmen den Abraum samt Cyanid in den Ok Tedi River, der längst kein Leben mehr tragen kann. Wen wundert es, daß die Urbevölkerung in ihrer Verzweiflung Widerstand leistet? Doch die fremden Herren aus Java schießen ihn mit Maschinenpistolen

nieder. Die Welt braucht Kupfer und Gold! *Fragwürdige Zivilisation.*

Ein heute allgemein angsteinflößendes Beispiel
für die Bedrohung der eigenen Bevölkerung sind die
Atomkraftwerke[5]. Es erübrigt sich, zum hundertsten
Mal all jene erschreckenden Gefahren aufzuzählen,
die hinter Stacheldraht und Eisengitter, hinter Über-
wachungskameras und automatischen Meldedetek-
toren, hinter Flutlichtanlagen und Schranken und
hinter bewaffnetem Wachpersonal samt mannschar-
fen Wachhunden verschanzt lauern.[6] Mit welch un-
glaublichem Leichtsinn im Bereich von Technik und
Naturwissenschaft vorgegangen wird, merkt man
immer erst hinterher. Bei den militärischen Anlagen
etwa sieht man das, wo ja die Hochtechnologie und
die besten Köpfe zu Hause sind:

Im Atomkomplex Hanford im US Bundesstaat
Washington zum Beispiel hat man 8 Milliarden
Hektoliter schwachaktive Abfälle einfach in den Boden gepumpt! 4 Millionen Hektoliter hochaktive
Abfälle lagern in teilweise zerfressenen Tanks.
18.000 Hektoliter sollen bereits ausgelaufen sein!
Die Umgebung ist für Jahrtausende mit Plutonium
verseucht. In Tscheljabinsk im Südural haben Tech-
niker hochaktive Abfälle direkt in den Techa-Fluß
und in den Karatschaj-See einfließen lassen. Dort
befinden sich jetzt soviel Strontium-90 und
Cäsium-137, daß ein am Ufer stehender unge-
schützter Mensch in 1 Stunde eine tödliche Strah-
lendosis abbekommt.[7] Sellafield, an der englischen
Westküste gelegen, ist berüchtigt für erlaubte und
unerlaubte Einleitungen in die Irische See. 1983 ge-

langte plutoniumhaltiger Schlamm ins Meer und verseuchte 40 Kilometer Strand. Plutonium hat eine Halbwertszeit von 24.400 Jahren. Dann braucht es noch einmal 24.400 Jahre bis wiederum die Hälfte dieser Hälfte unschädlich ist, und so weiter bis in alle Ewigkeit. *Fragwürdige Zivilisation!*

Ein allgemein bekanntes und immer wieder beklagtes Beispiel für die Zerstörung der Umwelt durch die Industriekultur ist die Gewinnung, der Transport und der Verbrauch von Erdöl[8]. Um an immer größere Mengen heranzukommen, dringen die Ölschürfer bis in die entlegensten Gebiete der Erde vor. Die Eiswüsten von Alaska, der Regenwald von Sumatra sind bekannte Beispiele. Beim Transport des Rohöls verseuchen die Tanker die Ozeane alljährlich mit Millionen Liter Öl. Zerbrechende und strandende Öltanker, aus denen sich das schwarze "Gold" ergießt, werden in den Weltnachrichten nur mehr kurz erwähnt. Man kann auch solche Meldungen schon längst nicht mehr hören. Trotzdem aber werden unaufhörlich Vögel und Insekten, schnappende Fische und Leguane vom schwarzen Öl verklebt. Die atemlose Gier nach immer mehr Energie treibt auch schrottreife Tankerflotten auf Schlingerkurs über das Meer.[9] Die brennenden Ölfelder Kuweits waren gleichfalls ein Höhepunkt der Materialschlacht um das Schwarze Gold. Im Mai 1991 sah der kuweitische Kronprinz Scheich Saad Abdallah el-Salim al Sabbah aus unmittelbarer Nähe die Quelle seines Reichtums durch Husseins Tat in Flammen stehen. Seine Exzellenz waren erschüttert: Das kostet ja ein Vermögen. *Fragwürdige Zivilisation!*

Alles ist machbar

Eine gehörige Portion Naivität ist notwendig, wenn man meint, durchschauen zu können, wohin das Zusammenwirken all der Technologien und Techniken einmal führt. Alles hat ja aufeinander einen wechselseitigen Einfluß: das Betonieren der Landschaft, die Pestizide und die unaufhaltsame Flut neuer chemischer Verbindungen, die Raumfahrt und die Satelliten, die Computer und die Datenspeicher, die Atomkraft, die Gentechnik und die Talsperren.

Apropos Talsperren! Bei technischen Großprojekten sieht man ja am besten, daß alles immer ganz anders kommt und alle Folgen so unerwartet, so umfangreich und so unhandlich sind, daß sogar die Fachleute immer völlig sprachlos davor stehen. Der Assuan-Staudamm[10] ist hierfür ein gutes Beispiel. Briten, Deutsche und Franzosen haben die fachkundige Planung dieses technischen Großprojektes in die Hand genommen; die ehemalige Sowjetunion hat tatkräftig die Realisierung betrieben. Die Errichtung des Staudammes hat etwa 4,3 Milliarden DM gekostet.

Ökologische Bedenken hat man beiseite geschoben. Das Schicksal von 120.000 Nubiern, deren Heimat unter den Fluten des Stausees verschwand und deren jahrtausendealte kulturelle Identität dabei ausgerottet wurde, hat man kaltschnäuzig abgetan. Man hat ja ohnehin einiges für die Rettung dieser Kultur gemacht: 23 nubische Tempel und Denkmäler hat man abgetragen und anderswo wieder aufgebaut. Allein den Ab- und Wiederaufbau des Ramsestempels von Abu Simbel hat man sich 150 Millionen DM kosten lassen.

Jedenfalls hat man diesen Assuandamm bei seiner Einweihung im Jahr 1971 als technische Glanzleistung groß gefeiert.

Doch zurück zum Staudamm selbst: Nicht einmal die Stromerzeugung hat den prognostizierten Werten entsprochen! Dafür haben die unerwarteten Folgen alle Vorstellungen übertroffen:

○ Die Ackerboden-Kulturflächen sind entgegen aller Erwartung nicht gestiegen.

○ Früher hat sich der fruchtbare Nilschlamm mit seinen wichtigen Nährstoffen auf dem Ackerland der Fellachen abgelagert. Jetzt verschwindet er im Stausee. Heute ist man dadurch zur künstlichen Düngung gezwungen.

○ An den Nilufern und an der Mittelmeerküste kommt es zur Bodenerosion, weil die ehemalige Schlammablagerung heute unterbleibt.

○ Der Nil bringt pro Jahr mehr als 100 Millionen Kubikmeter Sedimentfracht nach Ägypten, die das Wasserbecken verschlammt.

○ Der Stausee verflacht durch die einfließende Sedimentfracht, wodurch sich die Wasseroberfläche zwangsläufig immer weiter ausdehnt. Die Verdunstungsrate steigt dadurch an und führt zu empfind-

17

lichen Wasserverlusten, womit niemand gerechnet hat.

○ Früher haben die Nilüberschwemmungen den angewehten Wüstensand weggespült und statt dessen fruchtbaren Schlamm abgelagert. Heute dringt die Wüste immer weiter vor.

○ Der höhere Grundwasserspiegel führt zu einem Kapillarwasseraufstieg, der salziges Drainagewasser an die Oberfläche bringt und nach dem Verdunsten eine Salzkruste zurückläßt.

○ Früher war der Wasserstand in den Bewässerungskanälen hohen Schwankungen unterworfen, wodurch die Rattenplage in Grenzen gehalten wurde.

○ Die stets gefüllten Bewässerungskanäle führen heute zu einer Ausbreitung der Bilharziose, die auf einen Saugwurm zurückgeht, der in der Pfortader und in den Darm- und Nierenvenen des Menschen schmarotzt.

○ Wasserhyazinthen drohen sich auszubreiten, was zu einer erheblichen Steigerung der Verdunstungsrate führen würde. Die ökologisch-biologischen Veränderungen wären unabsehbar.

○ Bis zu 20 Milliarden m³ Wasser verdunsten jährlich und erhöhen die Konzentration der löslichen Salze.

○ Das Wasser im Stausee hat sich jetzt auch schon biologisch zu verändern begonnen. Das Phytoplankton hat sich vertausendfacht. Das Trinkwasser hat - trotz sorgfältigster Filterung - bereits einen organischen Geschmack.

Immer kommt alles anders als man es zuerst gemeint hat. Die Zusammenhänge sind einfach zu komplex um auch nur irgendwie die Folgen tatsächlich voraussehen zu können. Und weil wir seit Jahrzehnten überall eingreifen und die Intensität der Eingriffe immer mehr steigern, droht die Natur zu kippen und alles mitzureißen.

"Das große Fressen geht zu Ende. Der Tisch ist mit Abfällen übersät, die Teller hat man, manche noch halbvoll, an die Wand geworfen, der Wein fließt in Strömen, vieles davon auf den Boden, die Schüsseln sind noch halb gefüllt, doch manchen Gästen ist längst schlecht geworden, sie rufen nach dem Magenbitter und weisen das Dessert zurück. Unterm Tisch hocken ein paar Hungrige und suchen etwas aufzuschnappen von dem, was vom Tisch fällt. Manchmal tasten sie nach den Stuhlbeinen, um sich daran aufzurichten."[11]

Und weil wir nicht gewillt sind maßzuhalten und niemand der erste sein will, der verzichtet, so wird eben das unausweichliche Verhängnis auf uns zukommen müssen.

Unsichtbare Strahlen

Ein treffendes Beispiel für die Unfähigkeit von Naturwissenschaft, Technik und Wirtschaft, jene ernsten Probleme vorauszusehen, die sie selbst verursachen, ist das Ozonproblem. Üblicherweise ist es die unersättliche Gier nach Einfluß, Macht und Besitz, die unsere naturwissenschaftlich orientierte Zivilisation bedenkenlos beflügelt, unmittelbar die eigenen Brüder, andere Kulturen und den Rest der Schöpfung zu vernichten. Hier, beim Ozonproblem, ist es einmal anders. Es ist recht interessant, die Zusammenhänge in diesem Fall nachzuvollziehen.[12]

Fluorchlorkohlenwasserstoffe (FCKW) gehören - so hat man einst gemeint - zu den nützlichsten und umweltfreundlichsten chemischen Stoffen, die jemals entwickelt wurden. Diese Substanzen wurden schon im Jahr 1928 von Chemikern der General Motors erfunden. Es gibt eine ganze Reihe unterschiedlicher FCKW-Produkte, die für vielfältige Zwecke eingesetzt wurden: für Kühlmittel und Gefriermittel, für Kosmetika und Lösungsmittel, für Treibmittel und für Zwecke der Entkeimung bis hin zur Verwendung als Feuerlöschmittel. Mit FCKW aufgeschäumte Kunststoffe sind hervorragende wärmedämmende Materialien; sie sind leicht und stabil und eignen sich auch für diverse Verpackungszwecke; Kühlmittel werden für Kältemaschinen, Kühlschränke und Klimaanlagen in Häusern und Kraftfahrzeugen gebraucht; Lösungsmittel werden zum Reinigen von Oberflächen in der Mikroelektronik und in der Hochtechnologie eingesetzt. Und was sogar vom Umweltstandpunkt besonders für ihre breite Verwendung sprach, waren ihre sonstigen Eigenschaften: FCKW-Flüssigkeiten und -Gase sind für alle Lebewesen ungiftig, sie brennen nicht, sie reagieren nicht mit anderen Substanzen und sind dadurch besonders langlebig; nirgends führen sie zu Korrosionen, billig sind sie herzustellen und gefahrlos wieder zu beseitigen: Man läßt sie einfach als Gase in die Luft entweichen.

So einfach hat man sich das zumindest vorgestellt.

Die Produktion ist seit 1945 Jahr um Jahr gewachsen; etwa alle 10 Jahre hat sie sich verdoppelt. Um 1985 wurde *jährlich* etwa 1 Million Tonnen FCKW hergestellt. Pro Kopf gerechnet, hat jeder Amerikaner und Europäer 0,85 kg FCKW pro Jahr genützt; Chinesen und Inder natürlich weniger.

Da die FCKW reaktionsträge sind, sich nicht im Regenwasser lösen, nicht mit Gasen reagieren und auch nicht durch die Energie der Sonnenstrahlung in der unteren Atmosphäre in ihre chemischen Bestandteile zerlegt werden, steigen sie ungehindert in immer höhere und dünnere Luftschichten auf. Schließlich - die Verweilzeiten in der Atmosphäre liegen zwischen zehn und hundert Jahren - gelangen sie in so hochliegende Bereiche unserer Atmosphäre, in der eine starke, energiereiche Ultraviolett-Strahlung vorherrscht. Diese gefährliche, unsichtbare Strahlung wirkt nicht in Bodennähe, weil sich in der Stratosphäre eine Ozon-Schicht gebildet hat, die das Leben auf der Erde schützt. Ozonmoleküle bestehen aus 3 Sauerstoffatomen, die sehr locker aneinander gebunden sind. Deshalb ist Ozon auch sehr aggressiv und oxidiert die meisten Stoffe mit denen es in Berührung kommt. In der Stratosphäre gibt es aber nicht viele Stoffe, die das Ozon angreifen könnte, wodurch es in der Ozon-Schicht relativ langlebig ist. Zwar ist das Ozon in dieser Schicht sehr verdünnt - auf 100.000 andere Moleküle kommt 1 Ozonmolekül! -, es genügt diese Menge aber doch, die gefährliche Ultraviolett-Strahlung von rund 0,3µm Wellenlänge (das ist die sogenannte UV-B-Strahlung) zu absorbieren.

Wir haben gesagt, daß die FCKW-Gase - *gerade wegen ihrer Reaktionsträgheit* - bis in die Stratosphäre aufsteigen und in die Ozon-Schicht hineingeraten. Dort, wo also noch energiereiche Ultraviolett-Strahlen von der Sonne her wirken, spalten sich Chlor-Atome von den Fluor*chlor*kohlenwasserstoff-Molekülen ab. Und damit beginnt das Unheil: Ein freigewordenes Chloratom reagiert mit dem Ozon, produziert dabei Sauerstoff und steht im nächsten Moment (zufolge der energiereichen UV-Strahlung) wieder als freies Chloratom wie vorher zur Verfügung. Damit ist ein Kreisprozeß möglich, der immer wieder durchlaufen werden kann. Das *eine* Chloratom wird zum Ozonmassenmörder und steht nach jeder Aktivität unverbraucht für weitere Todes-Kreisläufe bereit. Jedes Chloratom zerstört im Mittel 100.000 Ozonmoleküle. Im besten Fall wird das Chloratom von einem Wasserstoffatom eingefangen, wodurch ein Salzsäuremolekül (HCl) entsteht, welches in tiefere atmosphärische Schichten absinkt, sich im atmosphärischen Wasserdampf auflöst und zuletzt als *saurer Regen* zu Boden fällt.

Da die FCKW-Gase sehr lange Zeit benötigen, um bis in die Stratosphäre aufzusteigen und weil dem exponentiellen Wachstum gemäß die größten FCKW-Mengen ja erst vor wenigen Jahren freigesetzt wurden, ist das heute feststellbare Ozonloch bloß die Spitze des oft zitierten Eisberges.

Und warum sind die für uns unsichtbaren und *neuartigen* UV-Strahlen gefährlich? Es ist nicht allzu falsch, wenn man sich die UV-B-Strahlung als einen Strom von Energie-Projektilen vorstellt, die gerade einen solchen Energiewert haben, daß sie organische Moleküle zerlegen können. Besonders anfällig sind dabei die DNS-Moleküle im Zellkern jeder lebenden Substanz. Dort sind nämlich die Informationen für den Zellbau und die Zellteilung enthalten. Sobald hier eine Störung entsteht, geht der Zellbau anders und unkoordiniert vor sich, und es bildet sich Krebs. Die UV-Strahlung ruft aber beim Menschen nicht nur Hautkrebs hervor, sondern sie reduziert auch die Immunabwehr gegen die Krebsbildung, sie schädigt die Horn- und Netzhaut der Augen und führt zur Trübung der Augenlinse (grauer Star)[13]. Selbstverständlich sind hiervon nicht nur die Menschen betroffen, sondern auch alle Tiere, die lange dem Sonnenlicht ausgesetzt sind.

Die Probleme sind aber leider noch umfangreicher und gefährlicher: Die UV-B-Strahlung schädigt nämlich Einzeller wesentlich stärker als große Lebewesen. Und so kommt es, daß die Mikroorganismen, die in den obersten Schichten der Weltmeere leben, durch die UV-B-Strahlung empfindlich getroffen werden. Die aquatischen Mikroorganismen sind aber das Fundament fast aller Nahrungsketten, weshalb bedeutende Schäden im Bereich vieler Populationen zu erwarten sind.

Aber nicht nur die Meere sind von der UV-B-Strahlung negativ betroffen, auch die terrestrische Vegetation ist es: Blattgröße und Wuchs gehen zurück, die Photosynthese wird reduziert, die landwirtschaftlichen Erträge werden geringer; Nutzpflanzen leiden dabei stärker als Unkräuter. Dabei können sich auch ökologische Gleichgewichtslagen verändern, wie etwa das Gleichgewicht zwischen Weidetieren und Futterpflanzen, zwischen Schadinsekten und ihren Feinden und zwischen Parasiten und ihren Wirten.

Zum Abschluß darf darauf hingewiesen werden, daß bereits 1974, also schon vor 20 Jahren, erstmals die Vermutung ausgesprochen wurde, daß Chlor die Ozonschicht schädige[14]. Und was ist seither geschehen? Könnten nicht zum Beispiel alle jene, die am FCKW verdient haben, Reparationszahlungen leisten? Viele Umweltschutzmaßnahmen benötigen ohnehin sehr viel Geld.

Unscheinbare Gase

Unsere Erde ist vor 5 Milliarden Jahren aus dem Staub explodierender Sterne entstanden. Zwischen der Oberfläche des Erdballs und dem Vakuum des Weltraumes liegt jene vergleichsweise hauchdünne Schicht, die man Biosphäre nennt. Es ist erstaunlich, daß das Gasgemisch der Erdatmosphäre *völlig verschieden* von den Gasgemischen der uns benachbarten Planeten ist. Man nimmt an - aber was weiß man denn schon wirklich -, daß dieses zerbrechliche Wunder parallel zur Entwicklung des Lebens entstanden ist und seit 2 Milliarden Jahren die Erdoberfläche wie einen schützenden und gleichzeitig lebensspendenden Hauch umgibt.

Wir haben natürlich kaum einen Einblick in das Temperatur-Regelsystem unserer Erde, aber seit langer Zeit ist die Oberflächentemperatur konstant geblieben, sodaß sich Leben bilden konnte. Das heutige Temperaturgleichgewicht dürfte im wesentlichen mit der Kohlendioxid- und Wasserdampfkonzentration zusammenhängen, die beide durch die Pflanzendecke beeinflußt werden. Diese und andere Gase der Erdatmosphäre bewirken, daß eher kurzwellige Sonnenstrahlen die Atmosphäre passieren können und die aus ihnen am Boden entstehenden langwelligen Strahlen, die in den Weltraum zurückgestrahlt würden, dagegen absorbiert werden. Die Atmosphäre verhält sich damit so ähnlich wie die Glasabdeckung eines Treibhauses und führt zu jenen Lufttemperaturen, die ein Leben auf der Erde möglich machen.

Aber auch die *Albedo*, das Reflexionsvermögen unserer Erde, hat einen entscheidenden Einfluß auf die Temperatur der Atmosphäre; Wolken, Eisflächen, Ozeane, die maritime Mikroflora, die Pflanzen auf dem Festland, aber auch die Verschmutzung der Erdatmosphäre haben Einfluß darauf, wie stark das Sonnenlicht in den Weltraum zurückgeworfen wird und so nicht bis zum Erdboden vordringt.

Ein zerbrechliches Wunder ist also diese Atmosphäre.

Im Inneren der Erde sind riesige Lagerstätten organischer Stoffe, die heute in Form von Öl, Kohle und Erdgas von uns durch Verbrennen genutzt werden. Hierdurch entsteht Kohlendioxid als Abfallprodukt. Bei jedem Liter Benzin, der im Kraftfahrzeug verbrannt wird, entsteht etwa $1/2$ Kilogramm Kohlendioxid, das in die Luft entweicht. Ein Automobil gibt also pro Jahr fast so viel an Kohlendioxid an die Atmosphäre ab, wie sein Eigengewicht ausmacht. 20 Milliarden Tonnen Kohlendioxid[15] entweichen jährlich aus den Schornsteinen der Wohnhäuser, der Kraftwerke und der Fabriken und werden von Kraftfahrzeugen und Düsenflugzeugen ausgeblasen. Oder anders gerechnet: Jeder Amerikaner produziert jährlich im Durchschnitt knapp 20 Tonnen Kohlendioxid.[16] Hinzu kommen 3 Milliarden Tonnen Kohlendioxid vom Abholzen und Abbrennen der Wälder. Der Kohlendioxidgehalt der Luft steigt dadurch mehr und mehr an und man vermutet[17], daß in den Jahren 2040 bis 2070 die Atmosphäre doppelt soviel Kohlendioxid enthält wie vor der Industriellen Revolution.

Auf indirekte Weise erhöht sich noch einmal das Gefahrenpotential: Methan (CH_4) ist nämlich im Hinblick auf den Treibhauseffekt zwanzigmal wirksamer als Kohlendioxid. Methan entsteht in den Eingeweiden wiederkäuender Rinder[18], Methan dringt aus den sich stark verbreitenden Termitenbauten[19], es entweicht aus den sumpfigen Reisfeldern[20] und dringt aus den fäulnisanfälligen Müllhalden. Auch der Schlamm der Weltmeere enthält ungeheure Mengen Methan[21] und man befürchtet, daß bei einer Erwärmung zufolge Treibhauseffekt Methan aus den Meeren freigesetzt wird. Also: Aufheizung der Atmosphäre setzt Methan frei und dieses Methan heizt wiederum die Atmosphäre auf! Ein fataler Rückkopplungseffekt ist das. Einer von vielen.[22]

Die ungeheuer komplexen Zusammenhänge versucht man durch Computermodelle zu simulieren; auch wenn die *Detail*ergebnisse dieser klimatischen Weltmodelle voneinander zum Teil abweichen, so stimmen sie in einem Punkt alle überein: Sollte sich der Gehalt an Kohlendioxid tatsächlich - wie prognostiziert - verdoppeln, dann erhöht sich die Temperatur der Erdoberfläche um einen Wert, der zwischen 1,5° und 4,5° Celsius liegt. Experten rechnen damit, daß ein derartiger Anstieg die Lebensgrundlage von Hunderten von Millionen Menschen gefährden oder vernichten wird.[23] Klimatologen erwarten, daß sich die großen Klimazonen um 300 bis 600 Kilometer polwärts verschieben werden. Der Trockengürtel der Nordhalbkugel würde ins Mittelmeergebiet vorrücken. Die Wälder gerieten noch mehr in Not.[24] Gewaltige Unstabilitäten der Atmosphäre wären zu erwarten.[25] Durch Abschmelzen der Polkappen und der Ausdehnung des Meerwassers zufolge Erwärmung wäre mit einem Anstieg des Meeresspiegels um 70 bis 170 Zentimeter zu rechnen.

Ob sich dieser kippende Prozeß, der die ganze Erde in einem ungeheuren Ausmaß erfaßt, noch aufhalten läßt?[26] Die Wurzeln dieser Krise reichen jedenfalls in jeden Bereich der Gesellschaft. Kenner der Materie[27] behaupten, daß einen Großteil der Schuld die Politiker trifft, die die langfristigen Folgen ihrer halbherzigen Entscheidungen nicht wahr haben wollten. Aber nicht nur das: Viele Ökonomen haben es bis jetzt unterlassen, die wahren Kosten des Verbrauches nicht erneuerbarer Energien offen zu bilanzieren. Die Menschen armer Regionen, die Umwelt und die künftigen Generationen fordern ihr Recht. Die reichen Länder werden ihre Verschwendungssucht gewaltig einzubremsen haben. Nur eine weltweite Mobilisierung aller Kräfte kann uns jetzt noch vor der Katastrophe retten.[28]

So hat man sich das Zeitalter der Wissenschaft und Ökonomie aber sicher nicht vorgestellt.

Wie ist es möglich, daß wir in solche Situationen gekommen sind? Die Naturwissenschaft zeigt uns doch, wie die Welt wirklich ist. Wieso konnten wir da fehlgehen?

*

Mein Herz wurde schwer, als ich die vielen toten Büffel sah, überall in unserem schönen Land. Die weißen Jäger nahmen nur die Häute und ließen die toten Tiere verrotten, viele, viele Hunderte. Im Judith-Becken sah ich es zum erstenmal; das ganze Land stank nach verwestem Fleisch. Nicht einmal der Duft der Blumen konnte den Gestank vertreiben. Unsere Herzen fühlten sich an wie Steine.

PRETTY SHIELD;
eine weise Frau der Krähenindianer

Durch seine Gefühllosigkeit der Natur gegenüber hat der weiße Mensch das Antlitz unserer Mutter Erde entweiht. Seine hochentwickelten technologischen Fähigkeiten sind eine Folge der Mißachtung des Geistigen und der Lebensart aller Geschöpfe. Seine Gier nach Macht und materiellem Besitz hat ihn blind für die Schmerzen gemacht, die er der Mutter Erde durch die Ausbeutung ihrer Bodenschätze zufügt.

Brief der Hopi-Indianer an Präsident Nixon.

Die Wissenschaft der Weißen studiert leblose Dinge und erfindet giftige Substanzen, die Pflanzen, Tiere und Menschen töten und verstümmeln. Ihr nennt das Fortschritt. Wir Indianer nennen es Wahnsinn. Unsere Wissenschaft beschäftigt sich mit lebendigen Wesen, ihrem Einfluß aufeinander und wie sie ihr Leben im Gleichgewicht halten.

CAROL LEE SANCHEZ
stammt von Laguna-Pueblo Indianern und Sioux ab.[29]

Kapitel 2
Der autorisierte Blick der Naturwissenschaft - Ein Tabu

Man will einen verläßlichen Blick auf die "Realität" werfen. Die der Natur zugrundeliegende Struktur wird sichtbar, ein rationales Bild tut sich auf und verdrängt die irrationalen Wirklichkeiten.

Ich glaube, die Kapitelüberschrift bringt gut zum Ausdruck, was wir empfinden, wenn von der Naturwissenschaft und von der Technik und von allen anderen Anwendungen die Rede ist. Der Blick ist autorisiert, er ist bevollmächtigt, er ist als einziger dazu ermächtigt, etwas zu genehmigen oder zu verbieten. Alle anderen Arten des Argumentierens und Sehens sind so irgendwie zweitrangig, sie haben im Vergleich zur naturwissenschaftlichen Aussage nicht das richtige Gewicht, sie müssen letztlich zurückstehen, wenn sie zu ihr in Widerspruch kommen. Manchmal räumt man diese Vorrangstellung der Naturwissenschaft nur mit einem gewissen Widerwillen ein, weil anscheinend viele andere Sichtweisen dadurch verloren gehen. Wie auch immer, unser Leben ist heute ganz entscheidend durch Naturwissenschaft, Technik und Technologie geprägt, von unserer Arbeitswelt angefangen über Freizeit, Umwelt, Information bis hin zur Medizin. Die vielen Vorteile, die wir hierdurch genießen, sprechen für sich. Es sind aber nicht nur die Annehmlichkeiten dieser Vorteile, es ist einfach die Vernünftigkeit des Systems, die uns dazu anhält, den Weg weiterzugehen.

Und damit ist auch klar, warum wir vom autorisierten Blick gesprochen haben. Welcher Blick sollte denn sonst bevollmächtigt werden? Tendenziös und abwertend wäre es gewesen vom *autoritären* Blick zu sprechen, der unbedingten Gehorsam fordert. Wir wählen ja bewußt und freiwillig die rationale Vorgangsweise. Wir wollen in unserem Handeln Sicherheit gewinnen. Wir wollen loskommen vom ungewissen Dafürhalten. Man will zu einer objektiven Sicht finden, die auf der Erfahrung fußt. Und diese objektive Sicht ist nach unserer heutigen Auffassung der Naturwissenschaft offenbar gelungen.

Sonden tasten die Wirklichkeit ab

Eine ziemlich objektive Wirklichkeit ist es, wenn man von der Polizei ein Strafmandat erhält, weil man mit 60 km/h im Stadtgebiet gefahren ist, wo doch nur 50 km/h erlaubt sind. Ein Laserstrahl hat die Geschwindigkeit gemessen und die damit verbundene Apparatur hat auch gleich ein Meßprotokoll erstellt und den Straftatbestand dokumentiert. Die Laserstrahl-Sonde hat in diesem Fall die Wirklichkeit der Geschwindigkeit abgetastet, die, wie wir sogar aus dem Strafmandat ersehen können, aus zwei grundlegenderen Wirklichkeiten, nämlich aus Länge (km) und Zeit (h) besteht.

In der Naturwissenschaft gibt es eine große Zahl verschiedener Begriffe, die zum Abtasten der Wirklichkeit geschaffen wurden. Man denke etwa an die Geschwindigkeit, an die Fläche, die Beschleunigung, den Druck, den elektrischen Strom und viele andere mehr. Und alle diese Begriffe werden auf einige wenige, sogenannte Basisgrößen zurückgeführt. Der Begriff der Geschwindigkeit zum Beispiel baut auf den Basisgrößen Länge und Zeit auf und definiert: Geschwindigkeit ist gleich dem zurückgelegten Weg dividiert durch die dafür erforderliche Zeit. Alle Begriffe, die in der Naturwissenschaft verwendet werden, und das ist überraschend, bauen auf insgesamt nur 7 Basisgrößen auf. Die Basisgrößen des heute üblichen Internationalen Einheitensystems sind Kilogramm (kg) als Einheit der Masse, Sekunde (s) als Einheit der Zeit, Meter (m) als Einheit der Länge, Ampere (A) als Einheit des elektrischen Stromes, Kelvin (K) als Einheit der thermodynamischen Temperatur, Candela (cd) als Einheit der Lichtstärke und Mol (mol) als Einheit für die Stoffmenge. Aus diesen Basiseinheiten setzen sich die einfachsten, aber auch die kompliziertesten Begriffe der Naturwissenschaft zusammen.

Man sieht leicht ein, daß die Festlegung der Basisgrößen mit äußerster Sorgfalt vorzunehmen ist, denn das gesamte Begriffsgebäude der Naturwissenschaft ruht auf diesem Fundament.[30] Allgemein bekannt sind die Bemühungen zur exakten Zeitmessung, wie man sie in vielen Museen vor Augen geführt bekommt: Ein schwingendes, schweres Pendel wirkt über einen Anker und ein Ankerrad auf ein Räderwerk und verstellt die Zeiger. Das wesentliche Element dabei ist die Pendelbewegung, die einen periodisch wiederkehrenden Vorgang darstellt; man hat nämlich erkannt, daß die Schwingungsdauer eines Pendels nur von der Pendellänge abhängt.[31] Dadurch eignet es sich zum Unterteilen und Abzählen des kontinuierlichen Zeitflusses.

Mit solchen Uhren hat man beachtliche Genauigkeiten erzielt. Aber die Entwicklung ist nicht stehengeblieben. Die genauesten Uhren sind heute die sogenannten Atomuhren, bei denen anstelle eines Pendels elektromagnetische Schwingungen eines Atoms verwendet werden. Heute ist die Sekunde durch die Dauer von 9 Milliarden, also 9.10^9 Schwingungen eines Cäsium-Atoms festgelegt worden. Unvorstellbar exakte Zeitmessungen sind dadurch möglich geworden.

Mit ähnlichem Aufwand an Präzision ist auch die Längeneinheit festgelegt worden. Ein Stab aus einer Platin-Iridium-Legierung, mit einer Querschnittsform, die hohe Steifigkeit verspricht, war mit Ritzmarken versehen worden, die die Längeneinheit verkörperten. Dieser Meterprototyp wurde bei konstanter Raumtemperatur verwahrt, um thermische

Ausdehnungen auszuschließen. Heute - die Anforderungen an die Präzision sind gestiegen - wird die Längeneinheit durch die Wegstrecke festgelegt, die ein Lichtstrahl in einem bestimmten Bruchteil einer Sekunde zurücklegt. Man ist zu dieser neuen Festlegung übergegangen, weil man aus der speziellen Relativitätstheorie weiß, daß die Geschwindigkeit des Lichtes völlig unbeeinflußbar ist.

Diese beiden Beispiele sollen daran erinnern, daß die Begriffe der Naturwissenschaft mit äußerster Umsicht und Exaktheit festgelegt wurden. Das Begriffsinstrumentarium wird an die Natur herangetragen um sie zu erforschen und die Ergebnisse der Forschung werden zuletzt in der Sprache dieser Begriffe wieder zum Ausdruck gebracht. Aber nicht nur in der Physik und Chemie werden diese Begriffe eingesetzt, in alle Bereiche, in die Biologie und Medizin, in die Soziologie und Rechtswissenschaft, in Politik und Wirtschaftswissenschaft und überhaupt in alle Bereiche des täglichen Lebens fließen sie ein. Alle dort getroffenen Aussagen meinen Wirklichkeiten, die diese "Begriffs-Sonden" erfaßt haben.

Unser Ziel ist, zu einer objektiven Sicht zu finden, die auf der Erfahrung fußt. Um dorthin zu gelangen, wird man, von den einfachsten Phänomenen ausgehend, die Natur befragen, um die ihr zugrunde liegende Struktur zu erkennen, um dann zu komplexeren Phänomenen fortzuschreiten. Durch Experiment und Beobachtung ist die Fundamentierung der Naturwissenschaft auf der Erfahrung gewährleistet.

Man versteht unter einem Experiment einen direkten Eingriff in die Natur. Dabei werden die Naturerscheinungen im Rahmen einer Analyse in Einzelvorgänge zerlegt, um nach Möglichkeit den Einfluß veränderlicher Größen getrennt studieren zu können. Wenn man zum Beispiel vermutet, daß die kinetische Energie eines bewegten Körpers sowohl von seiner Masse als auch von seiner Geschwindigkeit abhängt, dann wird man - um das Ausmaß der unterschiedlichen Einflüsse getrennt voneinander registrieren zu können - nur die eine der beiden Einflußgrößen variieren und die andere vorläufig konstant halten. Aber noch andere Charakteristika sind wesentlich: Von einem Experiment erwartet man, daß es stets das gleiche Ergebnis liefert, wenn es unter gleichen Bedingungen wiederholt wird. Auch wird gefordert, daß es vom speziellen Beobachter unabhängig ist.

Eine etwas abgeschwächtere Form der Fundamentierung der Naturwissenschaft auf der Erfahrung ist dagegen die sogenannte Beobachtung. Eine Beobachtung ist - im Gegensatz zum Experiment - mit keinem direkten Eingriff in die Natur verbunden, weshalb eine Wiederholung von Beobachtungen oft ausgeschlossen ist. Beispielsweise kann die Beobachtung eines Sternes, der kurzfristig durch innere Explosionen hell aufleuchtet, durch Astronomen nicht wiederholt werden.

Ich will hier niemanden dadurch langweilen, daß ich einfache, oder noch ärger, komplizierte Experimente in aller Ausführlichkeit beschreibe um zu zeigen, auf welche Weise man die in der Natur vermuteten Gesetze auffindet und damit die ihr zugrundeliegende Struktur erkennt. Wir wissen von den unermüdlichen Experimenten Galileis, der Kugeln über schiefe Ebenen rollen ließ und mit Wasseruhren, die viel genauer als Sanduhren sind, ihr Bewegungsverhalten studiert hat. Wir wissen um die Entdeckung der darauf fußenden Newtonschen Gesetze, die das Fundament der klassischen Mechanik darstellen und die von der Gezeitenwirkung des Mondes, der Bewegung der Planeten um die Sonne, bis hin zur Raumfahrt und Satellitentechnik jede Einzelheit exakt beschreiben.

Ein anderes, heute wichtiges Beispiel für eine zusammengehörige Gruppe allgemein gültiger Gleichungen sind die berühmten Maxwellschen Beziehungen. Sie erfassen die Gesamtheit der elektrischen und magnetischen Phänomene und sind die Grundlage der Elektrotechnik. Auf diesen Grundgleichungen beruht die Konstruktion der elektrischen Lokomotive, beruhen die Stromerzeugung und Stromverteilung, der Transistor und die integrierten Schaltungen, Rundfunk, Fernsehen, Radar und Computer. Alle diese Ergebnisse der Naturwissenschaft und Technik zeigen uns deutlich, daß wir die Struktur der Natur offenbar durchschaut haben und daß wir zu einer objektiven Sicht, die auf der Erfahrung fußt, gefunden haben. Denn all die Erfindungen der Naturwissenschaft und Technik funktionieren ja.

Wenn wir uns fragen, wie es möglich war, daß man diese umfassenden und allgemein gültigen Gesetze auffinden konnte, so ist die Antwort relativ einfach:

○Es ist erlaubt, eine sehr große Anzahl von Beobachtungsaussagen zu allgemeingültigen Aussagen zu verallgemeinern.

○Diese Generalisierung ist jedoch nur dann zulässig, wenn man unter einer großen Vielfalt von Bedingungen beobachtet hat. Und eine dritte Bedingung ist gleichfalls wichtig:

○Keine einzige der unzählig vielen Beobachtungsaussagen darf in Widerspruch zur generalisierten allgemeingültigen Aussage stehen.

Dieses sogenannte Induktionsprinzip wird vielfach als die eigentliche Basis der Naturwissenschaft aufgefaßt. Dieses Induktionsprinzip leitet den Wissenschaftler vielfach bei seiner Forschungsarbeit.

Die Möglichkeit, die Struktur der Natur objektiv zu erkennen, verleitet immer wieder, an den Laplaceschen Geist zu denken, für den Vergangenheit und Zukunft exakt berechenbar sind. Der französische Mathematiker Pierre Simon de Laplace hat 1776 folgende Idee vertreten: "Der momentane Zustand des Systems 'Natur' ist offensichtlich eine Folge dessen, was im vorherigen Moment war, und wenn wir uns eine Intelligenz vorstellen, die zu einem gegebenen Zeitpunkt alle Beziehungen zwischen den Teilchen des Universums verarbeiten kann, so könnte sie Orte, Bewegungen und allgemeine Beziehungen zwischen allen diesen Teilen für alle Zeitpunkte in Vergangenheit und Zukunft vorhersagen."[32] Heute vertritt natürlich kaum jemand mehr eine derartig extreme deterministische Prognostizierbarkeit, weil inzwischen durch die Physik selbst einer solchen Argumentation der Boden entzogen wurde. Es ist aber nicht zu verwundern, daß man im Jahrhundert nach Laplace in der deterministischen Prognostizierbarkeit etwas sehr Beunruhigendes gesehen hat, weil sie unwillkürlich an eine strenge Prädestination erinnerte; man hat - in Erweiterung der Laplaceschen Behauptung - mehrfach die Existenz des freien Willen bedroht gesehen.

Die Naturwissenschaft erkennt die Struktur der Natur

Naturwissenschaftliche Forschung, die auf exakter Begriffsbildung beruht und durch Experimente auf der Erfahrung fundiert ist, findet zu Ergebnissen, die eine bemerkenswerte Authentizität signalisieren und zweifelsfrei die Struktur der Natur offenlegen. Es gibt eine ganze Reihe von Hinweisen, die diesen Gedanken nahelegen.

An erster Stelle bestärkt wohl der Sachverhalt, daß die naturwissenschaftlich erforschte Wirklichkeit eine rationale Struktur zeigt. Der Mensch steht seit lange zurückliegenden historischen Epochen einer unendlichen Vielfalt von Phänomenen gegenüber, die in ihrem Wesen nicht zu durchschauen waren. Viele geheimnisvolle Vorgänge wurden daher teils als anonym wirkende Mächte aufgefaßt und teils wurde in ihnen ein personenhaftes Wesen mit einem übermächtigen Willen vermutet. Die Phänomene der Natur waren ihrem Ursprung nach also in der Magie und in der Dämonologie verankert. In der uns nahestehenden griechischen Kultur war zum Beispiel Zeus der Herr der Blitze, die liebenswerte Göttin Eos war die Göttin der Morgenröte, Helios war der Führer des Sonnenwagens, der die Sonne über den Himmel zog und Aiolos war Herrscher über Stürme und Winde.

Erst die naturwissenschaftliche Forschung konnte die unendliche und unüberschaubare Vielfalt ordnen und auf einfache Elemente und Gegebenheiten zurückführen. Man konnte zuletzt erkennen, welche Naturgesetze es sind, die hinter diesen vielfältigen Äußerungen der Natur stehen. Besonders beeindruckend ist dabei, daß sich die Natur in ihren vielfältigen Erscheinungsformen verstehbar erweist, vernünftig und rational strukturiert. Auffällig ist auch, daß sich Naturgesetze in einer überzeugenden Eleganz und Einfachheit präsentieren, die nicht zufällig sein können. Dies alles ist ein starker Hinweis darauf, daß es gelingt, durch die naturwissenschaftliche Methode einen tiefen Blick in die der Natur zugrundeliegende Struktur zu tun.

Ein anderer Hinweis darauf, daß die naturwissenschaftliche Forschung tatsächlich die Struktur der Natur erkennt, ist die Tatsache der uneingeschränkten Gültigkeit der Naturgesetze. Die Licht-Spektren chemischer Elemente zum Beispiel sehen in jedem Laboratorium der Erde gleichartig aus, ja man kann sie sogar auch im Sonnenlicht erkennen und auch in einem Lichtstrahl, der von fernen Galaxien bei uns auf der Erde eintrifft. Mit Recht schließt man daraus auf den identischen Bau der Atome, die hier wie dort offenbar existieren. Man kann auch in weit zurückliegende Zeiträume blicken, indem man zum Beispiel Bohrungen im arktischen Eis vornimmt und Einschlüsse und Gase analysiert, die vor Jahrtausenden dort konserviert wurden. Die über Raum und Zeit reichende Stabilität des sich dabei zeigenden naturwissenschaftlichen Bildes ist ein weiterer deutlicher Hinweis darauf, daß man nicht bloß ein flüchtiges Phänomen erfaßt hat. Wir finden nirgendwo etwas, was prinzipiell jenseits des naturwissenschaftlichen Zugriffes liegt. Das naturwissenschaftlich Erkannte, das in immer umfassenderen Theorien zum Ausdruck gebracht wird, zeigt uns ganz zweifellos also das stabile innere Gefüge der Natur.

Noch ein anderer ganz starker Hinweis darauf, daß die Naturwissenschaft tatsächlich die Struktur der Natur erkennt, ist das Phänomen der Konvergenz ihres eigenen Fortschrittes. Wir haben in den letzten Jahrhunderten immer häufiger erlebt, daß naturwissenschaftliche Theorien teils weiter ausgebaut wurden und teils in revolutionärer Weise Fortschritte gemacht haben, die man vorher nicht für möglich halten konnte. Und dabei hat sich gezeigt, daß die Exaktheit und Präzision ihrer Aussagen immer mehr verbessert werden konnte. Diese Annäherung der Erkenntnis an ihren Grenzwert ist wie das Anschmiegen einer Kurve an ihre Tangente aufzufassen. Die Tangente des Fortschrittes der Naturwissenschaft ist - so wird man wohl legitim behaupten dürfen - dann das endgültige Bild der Struktur der Natur.

Die naturwissenschaftliche Forschung wird heute nur in den seltensten Fällen um ihrer selbst willen

betrieben. Auch die sogenannte Grundlagenfor-
schung schielt zumeist nach einer Anwendung, für
die sie Grundlage sein könnte. Die Fragestellungen,
denen sich die Forschung zuwendet, stammen immer mehr und mehr aus dem Bereich der Technik.
Die Technik hat diese Fragen jedoch als ein Bedürfnis der Wirtschaft erkannt. Die Wirtschaft hat dieses
Bedürfnis aber nicht aus sich selbst entwickelt, sondern sie hat es bloß den Möglichkeiten der Technik
abgeschaut. Forschung, Technik und Wirtschaft be-
dingen sich also wechselseitig: Ein klassischer Fall
von Rückkopplung liegt vor, der das vor unseren
Augen ablaufende exponentielle Wachstum bewirkt.

Die naturwissenschaftliche Forschung will ein
Bild schaffen, welches als Leitbild das technische
Handeln voranbringt. Im 3. Kapitel unseres Buches
soll noch ausführlicher hiervon die Rede sein, aber
es gehört wohl zu den Selbstverständlichkeiten unseres Jahrhunderts, daß die Effektivität der Naturwissenschaft und Technik sich in einem vorher unvorstellbaren Maß gesteigert hat. Diese zielsichere
Effektivität ist die Folge konsequenter Forschung
und Entwicklung. Die zielsichere Effektivität beruht
auf der sicheren Kenntnis der Struktur der Natur.

Die vorangegangenen Überlegungen wollen zeigen, daß es für unsere heutige Zeit selbstverständlich erscheint, daß man sich vom naturwissenschaftlich Erkannten in allen Bereichen des Lebens leiten
läßt. Es soll dabei keineswegs bestritten werden,
daß die Naturwissenschaft in manchen Bereichen
heute noch keine sicheren Aussagen machen kann.
Dort mögen vorläufig Vermutungen den Platz des

sicheren Wissens beanspruchen. Es sind dies aber, so wird man wohl feststellen müssen, bloß Vermutungen auf Zeit. In allen anderen Bereichen aber ist das rationale naturwissenschaftliche Bild in Führung. Eine andere Vorgangsweise wäre wohl irrational und daher abzulehnen.

Es ist also verständlich, daß die naturwissenschaftliche Argumentationsweise weitgehend institutionalisiert wurde. An Schulen und Universitäten, im öffentlichen Leben, im Staat und in der Verwaltung, in der Wirtschaft und im privaten Leben genießt die naturwissenschaftlich-rationale Sicht uneingeschränkte Priorität. Das naturwissenschaftliche Bild steht im Vordergrund und verdrängt die irrationalen Subjektivismen. Dem Blick der Naturwissenschaft wird eine unwidersprochene Vollmacht, Ermächtigung und Autorisation zugestanden.

*

Was war es also, das den Blick der Naturwissenschaft autorisiert hat?

Man wollte Sicherheit gewinnen. Man wollte loskommen vom ungewissen Dafürhalten, man wollte zu einer Sicht finden, die auf der Erfahrung fußt, auf Beobachtung und Messung. Man wollte einen verläßlichen Blick auf die "Realität" werfen.

Durch sorgfältige Befragung der Natur erkennt man die ihr zugrundeliegende Struktur und findet dadurch einen definitiven, also unfehlbaren Ratgeber für unser zielgerichtetes Handeln. Ein rationa-

les Bild tut sich auf und verdrängt die irrationalen Subjektivismen.

Ist es da ein Wunder, daß dem Blick der Naturwissenschaft eine unwidersprochene Vollmacht, Ermächtigung und Autorisation zugestanden wird?

Ihnen zu widersprechen kommt einem Tabubruch gleich.

Dieser Vergleich ist gar nicht so abwegig. Denn Tabus sind in einer Gesellschaft im übertragenen Sinn Normen, die als unantastbar gelten. Diese Normen können auf Konventionen beruhen, sie können aber sogar auch gesetzlich festgelegt sein. Werden Tabus nicht beachtet, dann führt dies zu scharfen Sanktionen. Solche Sanktionen sind im allgemeinen auch sinnvoll, denn sie zwingen den einzelnen zur Einhaltung der anerkannten Normen durch Ächtung und Strafen. Man sieht also, daß einem Tabu eine wichtige Aufgabe zukommt: Es wirkt an der Integration der Gesellschaft mit.

Doch auch ein Tabu kann für immer gebrochen und beseitigt werden, wenn ein stärkeres "Mana", eine stärkere geheimnisvolle, übernatürliche Kraft dies bewirkt. Wie kündigt sich eine solche Macht an? Bei den Naturvölkern waren es Naturgewalten, Donner und unerklärliche Zeichen, die die Menschen zur Besinnung brachten. Es ist recht eigenartig, daß auch unsere Zivilisation heute vor solchen unheildrohenden Zeichen steht.

Müssen wir ein Tabu aufgeben?

Kapitel 3
Die Hoffnung weicht blankem Entsetzen

Die klassisch-beschauliche Form der Wissenschaft verwandelt sich zur "Forschung und Entwicklung". Sie ermöglicht technisches Handeln und unterwirft die Natur dem technischen Wollen.

Das Entstehen der heutigen Form der Naturwissenschaft und der Drang, die Natur zu erfassen, reicht in seinen feinsten Wurzeln sehr weit in die Anfänge der griechischen und christlichen Kultur zurück. Der mittelalterliche Alchimist erscheint uns bereits als emsig suchender Forscher, der die Natur zu erfassen und zu verändern versuchte. In der Zeit der Scholastik des christlichen Abendlandes zeigen sich die ersten und vereinzelten Ansätze einer Befreiung des naturwissenschaftlichen Denkens aus der autoritären Umklammerung durch die Theologie. Aber nicht nur von der kirchlichen Autorität hat man sich losgesagt, man hat auch begonnen, sich von der Autorität der simplen, unhinterfragten sinnlichen Erfahrung zu distanzieren, weil man sie zum Teil als unzuverlässig und täuschend erkannte.[33]

Eine hervorragende und prägende Gestalt im Bereich der Vorformen der Forschung war der englische Philosoph und Naturforscher Roger Bacon (1214 - 1294), dem man die ersten Ansätze des Experimentierens und des messenden Quantifizierens verdankt, die auf die praktische Anwendung abzielen. Die für die damalige Zeit unvorstellbaren Erfindungen, wie Autos, Flugzeuge und Unterseeboote, hat er seherisch vorweggenommen. Francis Bacons "Wissen ist Macht" hat Roger Bacon also schon 300 Jahre vorher zum Ausdruck gebracht.

Die Hoffnung auf das Paradies

Schon in einer frühen Phase des naturwissenschaftlichen Forschens hat man große Hoffnungen gehegt, daß die naturwissenschaftlichen Anwendungen dem Menschen nicht nur größere Macht bringen werden, sondern man hat auch die Vorstellung gehabt, daß man durch sie einmal ein unbeschwertes Leben führen wird. Das Denken von Francis Bacon (1561 - 1626) ist für die industrielle Revolution grundlegend, und die zweckfreie Weltschau tritt gegenüber einer naturwissenschaftlichen Technik immer mehr zurück. Naturwissenschaftlicher Fortschritt und technisches Gerät werden von ihm glorifiziert.[34]

Vor allem der Nutzen ist es, der fortan im Vordergrund der Naturwissenschaft steht und sie zur unfehlbaren Autorität macht.[35]

Das kapitalistische Wirtschaftsdenken mit dem Leitbild eines uneingeschränkten Gelderwerbes zog sich eine Technik heran, die der Wissenschaft neue Impulse gab, um selbst wachsen zu können. Die industrielle Revolution wurde angefacht durch die Dampfmaschine, der dann verschiedene andere verbesserte Antriebsmaschinen folgten. Produktionsgeräte, Werkzeuge und Baumaschinen legten den Grundstein zur Mechanisierung der Industrie. Autos und Flugzeuge wurden gebaut. Energiequellen erschienen unerschöpflich. Die Elektrotechnik gab Anlaß zu einer zweiten industriellen Revolution und in deren Gefolge rückten neue Informations- und Regelsysteme, Rundfunk, Fernsehen und Computer immer mehr in den Vordergund. Die Verflechtung von Wirtschaft, Technik und Wissenschaft wurde immer enger. Gigantische bauliche Vorhaben wurden begonnen und auch verwirklicht, Bergwerke waren die Voraussetzung für die Gewinnung von Rohstoff und Energie, Straßen, Brücken und Durchtunnelungen dienten der Mobilität des Menschen. Neue Industrien schufen neue Stoffe und ermöglichten neue Anwendungen. Krankheiten und Seuchen wurden zurückgedrängt.

Heute werden defekte Organe des kranken Körpers ausgetauscht. Eine perfekte Medizin hilft mit einer ausgefeilten medizinischen Technologie dem Menschen. Pharmazeutische Produkte stehen dem Arzt zur Seite, beugen Krankheiten vor, heilen, wo es möglich ist, und lindern, wo es vielleicht einmal schon zu spät ist. Eine florierende Wirtschaft mit steigendem Wachstum und gigantischen Umsätzen an Energie, Material, Geld und Natur schließt sich zu immer größeren Einheiten zusammen.

Ein eigenartiges Phänomen geht mit diesem Prozeß der Perfektion wissenschaftlicher Anwendung einher: Andere Arten des Sehens und Auffassens, andere Kulturen, andere Traditionen treten immer mehr in den Hintergrund. Die Naturwissenschaft erscheint, nicht zuletzt durch ihre eigene Effektivität, immer mehr als einzig gangbarer Weg. Die Effektivität der Naturwissenschaft vermittelt uns den Eindruck, daß wir in der Lage sind, mit ihr alles zu verstehen. Jegliche kulturelle Konkurrenz verschwindet dadurch von selbst und der Naturwissenschaft wird ohne Widerspruch die Alleinvertretung zugebilligt. Wahrscheinlich ist es die Hoffnung auf ein naturwissenschaftlich fundiertes Paradies grenzenlosen Konsumierens und süßer Untätigkeit, die uns fürs erste darüber hinwegtröstet, daß andere Arten des Auffassens - da als irrational erkannt - verloren gehen.

Atomare Sachzwänge und globale Eigendynamik

Forschung und Technik erhalten durch ihr nahes Verhältnis zur Wirtschaft und zum Machtdenken einen starken dynamischen Antrieb. Die Forschung wurde immer mehr zum nationalen Besitz und sie mußte einen Beitrag zur Wirtschaftsentwicklung, aber auch zur Kriegsrüstung leisten.

In besonders ausgeprägter Form wurde diese Vernetzung im Bereich der Kernforschung sichtbar, die insbesondere in ihrer Anfangszeit mit phantastischen Heilserwartungen verknüpft war. Frederick Soddy zum Beispiel, der Mitentdecker des radioaktiven Atomzerfalls, findet in seinen Glasgower Vorlesungen im Jahr 1908 enthusiastische Worte: "Eine Menschheit, die der Umwandlung der Elemente fähig war, braucht ihr Brot nicht im Schweiß ihres Angesichts zu verdienen ... wir können uns leicht vorstellen, daß solche Menschen verödete Kontinente fruchtbar ... machen, das Eis der Pole ... schmelzen und den ganzen Erdball in ein Paradies ... verwandeln ..."[36]

Zwar hat es auch schon zu Beginn dieser Forschungen warnende Stimmen vor den damit verbundenen Gefahren gegeben, doch diese wurden als rückständige Phantasien abgetan. Der bekannte Physiker F. W. Aston meinte im Jahr 1936 in diesem Zusammenhang: "Es gibt heute Leute, die sagen, daß solche Forschung gesetzlich eingestellt werden sollte, indem sie erklären, des Menschen Zerstörungskräfte seien schon groß genug. So haben zweifellos die ältlicheren und affen-ähnlicheren unserer vorgeschichtlichen Ahnen gegen die Neuerung der gekochten Nahrung Einspruch erhoben und auf die schwere Gefahr hingewiesen, die der Gebrauch des kürzlich entdeckten Feuers erwarten lasse."[37]

Man weiß, wie dieses dunkle Kapitel des wissenschaftlichen Fortschritts weiterhin abgelaufen ist: Otto Hahn beobachtete im Dezember 1938 bei Neutronenbeschußversuchen die Spaltung von Uran-atomkernen.[38] Lise Meitner hat dem dänischen Wissenschafter Niels Bohr hierüber Nachricht gegeben. Bohr hat im Jänner 1939 auf einer amerikanischen Tagung darüber berichtet. Im Februar reifte bereits die Idee einer Atomwaffe, im März sprach Szilard, daß eine Atombombe hergestellt werden könnte und hergestellt werden sollte. Im gleichen Monat wurde die amerikanische Regierung auf die Möglichkeit einer militärischen Bedeutung der Uranspaltung hingewiesen und die Möglichkeit eines Baues "äußerst gefährlicher Bomben ... mit einer Zerstörungskraft jenseits aller militärischen Vorstellungen" angedeutet.[39] Eine Geheimhaltung aller Kernforschungsergebnisse wurde verfügt, die Produktion einer Kernbombe wurde durch den amerikanischen Präsidenten angeordnet. Im August 1942 wurde das Atombombenprojekt der Armee unterstellt. Fünfhundertvierzigtausend (!) Personen waren hier beschäftigt. Der Präsident gab den Befehl zum Einsatz der Bombe über Hiroshima und Nagasaki für die Zeit nach dem 3. August des letzten Kriegsjahres. Hunderttausende Japaner wurden vernichtet.

War den fünfhundertvierzigtausend Wissenschaftlern, Technikern, Konstrukteuren und Hilfskräften der Zweck der Bomben-Herstellung unbekannt? Haben sie alle mit geschlossenen Augen *bloß ihre Pflicht getan?* Nein! Allfällige Sorgen und moralische Bedenken sollen - wie man hört - während der Herstellung der Atombomben bei den Wissenschaftlern durch die ergreifende Faszination dieser neuen wissenschaftlichen Aufgabe überdeckt worden sein.

"Wenn man etwas sieht, was einem technisch reiz-
voll erscheint, dann packt man es an und macht die
Sache, und die Erörterung, was man damit anfangen
kann, kommt erst, wenn man technisch erfolgreich
war. So war es mit der Atombombe: Erst nachdem
sie da war, gab es ein paar Debatten darüber, was
man mit ihr anfangen solle," schreibt Oppenheimer,
der wissenschaftliche Leiter dieses Projektes.[40] Ein
paar Debatten hat es also gegeben - mehr nicht!

Die Logik der technisch-wissenschaftlichen Forschung drängt zum Fortschritt und die Zwangsvor-
stellung, daß auch andere Staaten die Bombe bauen
könnten, treibt die *einen* zum Bau von noch wirksa-
meren Waffen und die *anderen* müssen, wenn sie
nicht zurückstehen wollen, mitziehen. Die Rü-
stungsspirale dreht sich von selbst, solange man befürchten muß, daß ein Wettrüstungspartner das gleiche tut wie man selbst.[41] Kosten und der Verschleiß
der Natur spielen dabei eher keine Rolle.

Spätestens zu diesem Zeitpunkt ergreift das Entsetzen auch die Bürger großer Städte. Im Mittelal-
ter trotzten die wehrhaften Bürger auf ihren Fe-
stungsmauern dem anstürmenden Feind. Im Zeitalter wissenschaftlicher Kriege bleibt wohl nur die
Flucht in unterirdische Keller zweifelhafter Wider-
standskraft. Die Verwundbarkeit der Großstädte,
die gleichzeitig auch die Zentren der Staatsverwal-
tung, der Finanz- und Ordnungskräfte, der Kran-
kenhäuser und der wissenschaftlichen Institute be-
herbergen, läßt durch einen einzigen gezielten
Schlag die vollständige Lähmung des ganzen Lan-
des erwarten.

dem atomaren Massentod fertig werden sollen; hier denkt man an Massenverbrennungen und Massengräber und an den Einsatz von Bulldozern.[49]

"Hoffnung" auf Genetik

Nicht nur die Atomforschung läßt uns erschauern, fast jeder sogenannte "hoffnungsfrohe" Bereich wissenschaftlicher Forschung spricht unverhohlen von Konsequenzen und Projekten, die uns erblassen lassen. Die Genetik ist da ein breites Feld neuer Möglichkeiten.

"Mir schaudert, seitdem ich letzten Herbst bei einem Biochemiker las: 'Wir werden so vorausplanen können, daß unsere Kinder so ausfallen, wie wir es wünschen - physisch und sogar geistig. Dies wird so weit führen, daß wir unsere eigene Art völlig ummodeln werden: Wir können schon in Bakterienzuchten Mutanten erzeugen und werden bald in der Lage sein, diese Vorgänge zu kontrollieren - der Sprung vom Bakterium zur Pflanze, zum Tier und zum Menschen selber ist nicht so groß' ", schrieb Wallace[50] schon vor längerer Zeit. Wie wir wissen, wurden inzwischen die angekündigten Pläne sehr weitgehend verwirklicht und mit Enthusiasmus vorangetrieben.

Eine kühne Sicht in die Zukunft entwickelt J. B. S. Haldane. Er ist ein bekannter Professor für Biometrie an der Universität London und Träger hoher

Auszeichnungen. Er sieht die Möglichkeit einer Änderung des menschlichen Genotyps durch Synthese neuer Gene und einen anschließenden Einbau in menschliche Chromosome.[51] Da man Teile eines Fliegengenoms bereits von einer Fliege auf die andere übertragen kann, ist für ihn die Möglichkeit nicht ferne, gewisse Eigenschaften anderer Lebewesen auch auf den Menschen zu übertragen.[52] Die für Raumfahrtzwecke unerwünschte Bein- und Beckenform der Menschen ließe sich durch Affengene der Breitnasenaffen verbessern.[53] Auch durch gewisse Drogen wird man Rückmutationen künftiger Astronauten einleiten können, um Greiffüße, affenähnliche Becken, Schrumpfbeine oder für gewisse Zwecke auch vier Füße zu schaffen.[54] Gesprächsweise wurden auch Fragen erörtert, ob man nicht versuchsweise auch ein Kind mit doppelter Kopfgröße "machen" könnte.[55]

Die Illusion wird sichtbar

Was zuerst nur wie ein Raunen geklungen hat, ein entferntes, leises Gerede ewig Gestriger, was wie ein Schlechtmachen gewirkt hat, ein Schlechtmachen der blendenden Erfolge einer naturwissenschaftlichen Technik, die von einer überwältigenden Elektronik, einer Präzisionsmechanik und Raumfahrt bis hin zur Medizin und Weltwirtschaft reicht, wird immer mehr zu einem warnenden Aufschrei verantwortungsvoller Menschen.[56] Der auf uns zukommende Zusammenbruch des durch einen Umweltplünderungs-Antrieb in Gang gehaltenen Wirtschafts-Wissenschafts-Technik-Karussells, der wenigen Menschen der Erde Vorteile und den meisten bloß Verarmung bringt, wird heute schon den trübsten Augen sichtbar. *Bremsen* und eine Entwicklung *verhindern*, die zum Untergang der Menschheit führt und einen Großteil der unschuldigen Schöpfung mitreißt, ist daher unsere vordringlichste Aufgabe.

Der Philosoph Hans Jonas, der seit Ende der sechziger Jahre bedeutende Arbeiten über ethische Aspekte der Technologie verfaßt hat, legt die Wurzel all dieser Probleme frei: "Die Gefahr geht aus von der Überdimensionierung der naturwissenschaftlich-technisch-industriellen Zivilisation."[57] In seiner weiteren Argumentation verfolgt er die Wurzel dieser Entwicklung bis zu den Grundgedanken von Francis und Roger Bacon. In dieser Zeit ist nämlich erstmals der Gedanke aufgekommen, aus dem naturwissenschaftlichen Wissen eine *Herrschaft über die Natur* zu gewinnen. Und ein zweiter wesentlicher Gedanke schließt hieran nahtlos an: Die Herrschaft über die Natur könnte man für die *Besserung des Menschenloses* verwenden. Dieser sich selbst beflügelnde Kreislauf hat bald zu einer Maßlosigkeit der Produktion und zu einem grenzenlosen Konsum geführt. Beides wurde darüber hinaus noch angefacht durch die Kurzfristigkeit menschlicher Zielsetzungen, die zu einer unübersehbaren Vielfalt angeblicher Bedürfnisse eskalierte. Die ursprünglich durchschimmernde Idee der Gerechtigkeit ist allerdings bald verblaßt: Nur die Reichen wurden reicher. Die Unvorhersehbarkeit des Erfolges dieser naturwissenschaftlich-technischen Zivilisation hat schließlich unsere Gesellschaft in eine ganz gefährliche Situation gebracht.

Die eigentliche Ursache für die kommenden Katastrophen sieht Jonas darin, daß dem Baconschen Gedanken, die Natur mit Hilfe der Technik zu beherrschen, ein überaus großer Erfolg beschieden war. Der *ökonomische Erfolg* hatte eine gewaltige Steigerung der Güterproduktion zur Grundlage. Pro Kopf wurden immer größere Mengen und immer unterschiedlichere Arten von Konsumobjekten produziert, wobei der Einsatz menschlicher Arbeitskraft laufend verringert werden konnte. Dadurch stellte sich für immer mehr und mehr Menschen ein steigender Wohlstand ein. Das ganze gesellschaftliche System hatte einen immer größeren Verbrauch zu verzeichnen und der soziale Gesamtkörper hat seinen "Stoffwechsel" mit der natürlichen Umwelt in gigantische Höhen gesteigert. Ein Raubbau der Ressourcen auf der einen Seite und ein nicht mehr zu bewältigendes Müllproblem auf der anderen Seite waren die Folge.

Der ökonomische Erfolg mit seinen verheerenden Folgen wurde noch einmal angefacht und gesteigert durch einen Prozeß, den man im ersten Moment komplett unterschätzt hat: Es war das der *biologische Erfolg* des stoffwechselnden Gesamtkörpers. Die Bevölkerung hat sich exponentiell vermehrt; zunächst bloß in jenen Bereichen, in denen sich Wissenschaft und Technik ausgewirkt haben; heute gibt es dieses Wachstum bereits auf der ganzen Erde.

Dieser zweifache Erfolg, der ökonomische und der biologische, führt zu einer Selbstbeschleunigung in Richtung Katastrophe: Die Effekte multiplizieren sich. Die Steigerung des Pro-Kopf-Verbrauches und die Erhöhung der *Zahl* verbrauchssüchtiger Menschen beschleunigen die Beschleunigung!

Bei gleichbleibender Bevölkerungszahl könnte man vielleicht sagen, jetzt ist es genug. Doch bei wachsender Bevölkerungszahl wird man immer rufen hören, wir wollen mehr!

Wie kann es anders kommen? Der biologische Erfolg stellt in kurzer Zeit den ökonomischen Erfolg in Frage und reißt durch seine Trägheit und Zeitverzögerung die Menschheit und die Natur in eine ungeheure Katastrophe.

Der Philosoph Hans Jonas zeichnet ein düsteres Bild vor uns hin: Dem kurzen Fest des Reichtums folgt der chronische Alltag der Armut. Um zu überleben, wird eine immer ärmer werdende Menschheit die Erde plündern müssen, ohne auf irgend etwas Rücksicht nehmen zu können.

Spätestens dann setzt der letzte Akt ein, der unsere Zivilisation zu ihrem Ende bringt. Die Natur spricht ihr Machtwort, sie versagt sich weiterer Beraubung, die fein aufeinander abgestimmten Regelkreise, die das Gleichgewicht ermöglicht haben, geraten in Unordnung und der Planet eliminiert den lästigen Störfaktor Mensch und mit ihm weite Teile der Schöpfung. Der Schreckensruf "rette sich wer kann" wird ein Massenmorden einleiten und das

Entsetzen in ungeahnte Höhen treiben. Ob und wie ein Neubeginn für unsere Erde dann noch möglich ist, liegt weit jenseits aller Spekulationen.

Angesichts solcher historischen Entwicklungen und angesichts der immer bedrohlicher werdenden kommenden Umwelt-Katastrophe, die die ganze Schöpfung vernichten wird, angesichts der "Sachzwänge", die durch die wissenschaftlich-technisch-wirtschaftliche Spirale von selbst angetrieben werden, und angesichts jener Wissenschaft, die keine menschlichen Züge mehr trägt, wird man sich wohl fragen, was denn aus diesem hoffnungsfrohen Unternehmen geworden ist. Was war denn falsch an dem Wunsch, der uns geleitet hat? Wir wollten doch bloß loskommen vom ungewissen Dafürhalten, wir wollten eine Sicht finden, die auf der Erfahrung fußt. Ein rationales Bild haben wir gesucht und auch gefunden, und dieses allein hat unser Handeln geleitet. Irrationale Subjektivismen haben wir ohnehin mit Sorgfalt ausgeschlossen. Was war da falsch?

War es womöglich eine Illusion, eine verhängnisvolle Selbsttäuschung, die uns dazu gebracht hat, dem rationalen Bild eine unwidersprochene Vollmacht und Ermächtigung zuzugestehen? Anderseits können doch nicht unsichere Subjektivismen das Handeln des Menschen bestimmen.

Je länger man darüber nachgrübelt, desto deutlicher und drängender wird die Frage, was die Naturwissenschaft in ihrem Wesen ist und was diese naturwissenschaftliche Realität ist, die man durch die Forschung zutage fördert. Die naturwissenschaftliche Realität genießt heute unser uneingeschränktes

Vertrauen, weil sie offenbar die einzig verläßliche Aussage ist.

Es stehen uns also nicht zwei oder drei Realitäts-Versionen zur Wahl, die wir uns nach eigenem Gutdünken aussuchen können. Zum Unterschied zu den verschiedenen Glaubenslehren und Sekten-Bekenntnissen und zum Unterschied zu den diversen widersprüchlichen Behauptungen der Astrologie, der Wasseradern- und Erdstrahlenkundigen ist die naturwissenschaftliche Realität offenbar das durch die besondere Methode des Entdeckens autorisierte Bild der Wirklichkeit. Auf der einen Seite steht also das Wissen und auf der anderen Seite stehen die verschiedenen Formen des Glaubens, Meinens und Vermutens, die man besser beiseite schiebt, weil sie unsicher sind.

Um diese Auffassung zu festigen, wollen wir im nächsten Kapitel genauer und exakter als bisher umreißen, was denn diese naturwissenschaftliche Methode ist, wodurch sie ihre Festigkeit erhält, was man unter Wirklichkeit versteht und was die naturwissenschaftliche Realität in ihrem Wesen ist. Es ist zu hoffen, daß uns diese Untersuchung zur Klarheit darüber verhilft, ob das naturwissenschaftliche Bild die Kompetenz hat, das Leben des Menschen und das Zusammenleben in der Gesellschaft zu führen und zu bestimmen. Die bisherige historische Entwicklung hat uns in dieser Frage ja eher verunsichert.

*

"Damit sich Forschung und Lehre ungehindert an dem Bemühen um Wahrheit ausrichten können, ist die Wissenschaft zu einem freien Bereich erklärt worden."[58] *Die klassisch-kontemplative Form der Wissenschaft hat sich zur "Forschung und Entwicklung" gewandelt und hat die Verschmelzung von Theorie und Praxis zum Ziel. Sie ermöglicht technisches Handeln und unterwirft die Natur dem menschlichen Wollen. Die Hoffnung auf ein Paradies tröstet zunächst darüber hinweg, daß andere Arten des Sehens - da als "irrational" erkannt - immer weiter zurückgedrängt werden. Eine Fülle künstlicher Welten mit ihren Verlockungen und neuen Möglichkeiten und ihren innewohnenden Sachzwängen wird geschaffen. Spätestens dann, wenn wir vor Gewalttätigkeiten in technischer Perfektion stehen, weicht die Hoffnung dem blanken Entsetzen. Was ist diese Realität der Naturwissenschaft? Ist das naturwissenschaftliche Bild wirklich das einzige Bild, das uns leiten soll? Sind wir in die Probleme hineingeschlittert, weil wir uns nur auf ein einziges Bild verlassen haben? Aber dieses Bild ist doch anderseits als einziges objektiv!*

Kapitel 4
Was ist die Naturwissenschaft, was ihre Realität?

*Die Priorität der Naturwissenschaft ist ins
Gerede gekommen. War es womöglich eine verhängnisvolle Selbsttäuschung, die
uns dazu gebracht hat, dem rationalen
Bild eine unwidersprochene Ermächtigung
zuzugestehen und dadurch andere Arten
des Denkens zu vernachlässigen?*

Sorgfältig gilt es jetzt zu überprüfen, wie die Naturwissenschaft vorgeht, damit sie zu ihrer einheitli-
chen, unbestrittenen und monolithischen "Realität"
kommt. Nur einem fugenlosen Bau würde man eine
Priorität vor anderen Bildern zuerkennen. Die Naturwissenschaft will mehr erreichen als bloß niede-
rer Handlanger zu sein für ein rationales Handeln in
einer engen täglichen Praxis. Sie will nicht bloß
Faustregeln für Handwerker liefern; sie will nicht
bloß über den Daumen peilen. Sie will die schärfste
Form sein, wie man etwas durch wissenschaftliches
Erkennen mit äußerster Sicherheit erfassen kann.
Sie will den Hausverstand bei weitem übertreffen.
Und so ist es zu verstehen, daß sie ihre Sache sehr

ernst nimmt und mit großer Umsicht an ihre Aufgabe herangeht. Die Methode, die das gewährleisten soll, wird sehr sorgfältig aufzubauen und zu konstruieren sein. Man sollte also nicht glauben, daß eine Methode etwas von vornherein Vorgegebenes und Selbstverständliches ist.

Vom Fundament

Zugegeben, im 2. Kapitel haben wir uns die Sache zu einfach gemacht. Die Begriffe, die da wie Sonden die Wirklichkeit abtasten und die Naturgesetze entschleiern, wodurch ein verläßlicher Blick auf die der Natur zugrundeliegende Struktur möglich sei, all das erweist sich bei genauerem Hinsehen mehr als fragwürdig. Denn das vorausgesetzte Fundament der Naturwissenschaft - das Induktionsprinzip -, das Verfahren also, welches uns angeblich zu den *bewiesenen Naturgesetzen* führt, auf denen unser technisches Handeln ruht, dieses Fundament ist nämlich, wie sich gleich zeigen wird, mehr als brüchig.[59]

Das Induktionsprinzip behauptet, daß man allgemeine Gesetze beweisen könne, wenn man nur sehr, sehr viele Beobachtungen unter einer großen Vielfalt von Bedingungen macht, um jeden Irrtum auszuschließen. Wenn diese Beobachtungen also immer und ohne Ausnahme das vermutete allgemeine Gesetz bestätigen, dann gilt es als bewiesen. Es ist nicht schwer einzusehen, daß das nicht stimmen kann, denn aus *endlich vielen* Beobachtungen kann man niemals zu einem allgemeinen Gesetz finden, welches für *unendlich viele* Fälle gilt. Der englische Mathematiker und Philosoph Bertrand Russell pflegte in seinen Vorlesungen die Gefahren, die in dem Induktionsprinzip stecken, durch die nette Erzählung vom *induktivistischen Truthahn* zu illustrieren: Ein Truthahn kam auf eine Mastfarm und fand heraus, daß er um neun Uhr morgens gefüttert wird. Er war ein sorgfältiger und kluger Hahn und hat als guter Induktivist daher keine voreiligen Schlüsse gezogen. Er beobachtete unter einer großen Vielfalt von Bedingungen, bei Regen, bei Sonnenschein, an Wochentagen und an Feiertagen, und jede neue Beobachtung hat immer und ohne Ausnahme seine erste Beobachtung bestätigt. Sein induktivistisches Gewissen war endlich beruhigt und er kam zu dem Induktionsschluß: "Ich werde jeden Tag um neun Uhr morgens gefüttert." Leider war damals gerade der Morgen des Weihnachtsfestes angebrochen und anstatt Futter zu bekommen, wurde ihm der Hals durchgeschnitten. Unser armer induktivistischer Truthahn kam mit seinem richtig und sorgfältig durchgeführten Induktionsschluß eindeutig zu einer falschen Folgerung.

Aus *endlich vielen* Beobachtungen kann man nie auf *unendlich viele* Fälle schließen; das Induktionsprinzip läßt sich - was leicht einzusehen ist - also grundsätzlich nicht rational fundieren. Einer Naturwissenschaft, die auf dem Induktionsprinzip aufbaut, fehlt demnach die rationale Basis. Ich glaube, ich muß nicht näher ausführen, daß diese Situation natürlich katastrophal ist, weil eine sich *rational* auffassende Naturwissenschaft auf einem *nicht rational* zu rechtfertigenden Fundament ruhen würde und sich damit selbst ad absurdum führt. Dieses Fundament der Naturwissenschaft hat man daher auch aufgegeben.

Sir Karl Popper[60] verdankt man eine andere Sicht, die ebenso einfach wie genial ist: Aus *noch so vielen* Beobachtungsaussagen kann man nicht beweisen, daß ein allgemeines Gesetz wahr ist, aus *einer einzigen* Beobachtungsaussage kann man dagegen das allgemeine Gesetz widerlegen, es "falsifizieren". Diese neue, sozusagen umgekehrte Argumentationsweise hat für das Selbstverständnis der Naturwissenschaft ganz bedeutende Konsequenzen: Das fundamentale Vorgehen in der Naturwissenschaft ist hiernach also nicht ein Beweisverfahren, sondern ein Widerlegungsverfahren. Natürlich darf ein Naturgesetz, das man für irgend einen Fall verwenden möchte, noch nicht widerlegt sein! Es muß den bisherigen Widerlegungsversuchen standgehalten haben; wenn das so ist, dann kann man versuchen, das Naturgesetz auch im vorliegenden Fall zu verwenden. Nicht gerade ermutigend, aber dennoch zutreffend ist daher das oft zitierte Statement:

"Gesetze und Theorien erweisen sich nie als wahr, sondern höchstens nur als falsch."

Man kann es aber auch noch deutlicher formulieren und sagen:

"Eine Hypothese als falsch erwiesen zu haben, ist der Höhepunkt des Wissens."[61]

Alles kann man also beweisen, nur die Wahrheit nicht!

Die neue Auffassung vom Fundament der Naturwissenschaft hat auch unmittelbare Konsequenzen für das praktische Vorgehen in der Forschung selbst. Wenn nämlich das Widerlegungsverfahren die Basis der Naturwissenschaft ist, dann müssen alle naturwissenschaftlich gemeinten Theorien und Aussagen derart gebaut sein, daß sie zumindest im Prinzip widerlegt werden können. Sie dürfen also nicht eine solche Struktur zeigen, daß eine Widerlegung zum Beispiel aus logischen Gründen unmöglich ist. Solche Aussagen würden sich dann zufolge Selbst-Immunisierung auf künstliche Weise einer drohenden Widerlegung entziehen, was dem Prinzip der vorurteilslosen und ausschließlichen Fundierung auf der Erfahrung widerspräche. Solche, sich selbst immunisierenden Aussagen sind daher aus der Naturwissenschaft auszuscheiden.

Um ein Beispiel für einen allgemeinen Satz zu geben, der falsifizierbar, also im Prinzip durch die Erfahrung widerlegbar ist, könnte man sagen: "Alle Gegenstände, deren Dichte kleiner als 1kg/dm^3 ist, können im Wasser schwimmen." Da die Dichte gleich Masse pro Volumen ist, kann sie für jeden Gegenstand berechnet werden, wodurch der genannte allgemeine Satz falsifizier*bar*, jedoch zur Zeit noch keinesfalls falsifizier*t* ist: Deshalb ist er ja auch in der Praxis brauchbar!

Um ein Beispiel für einen allgemeinen Satz zu geben, der nicht falsifizierbar, also aus prinzipiellen Gründen nie durch die Erfahrung widerlegbar ist, könnte man anführen: "Alle Junggesellen sind unverheiratet." Es ist grundsätzlich aussichtslos, im Bereich der Erfahrung nach Junggesellen zu suchen, die sich als verheiratet erweisen. Das genannte "Gesetz" gebärdet sich als eine allgemeine Aussage, die auf der Erfahrung fußt, und ist dabei aber selbst dafür verantwortlich, daß es durch die Erfahrung niemals widerlegt werden kann, weil hier ja bloß die Definition für den Begriff "Junggeselle" hingeschrieben steht. Solche nicht falsifizierbaren Sätze sind aus jeder Erfahrungswissenschaft auszugrenzen.

Ein schönes Beispiel einer solchen "Theorie" findet man auch in Molières Eingebildetem Kranken. Er macht sich dort über die Ärzte seiner Zeit lustig, indem er ihnen als neueste wissenschaftliche Erkenntnis die Theorie "Opium bewirkt den Schlaf durch seine virtus dormitiva" unterschiebt. Kein Mensch weiß, was diese "Schlafenskraft", diese virtus dormitiva, sein soll, denn sie kommt ausschließlich nur in dieser Theorie vor und läßt sich nicht auf unabhängige Weise erfassen; es wurde also bloß ein neues Wort erfunden, welches die Unwissenheit verdeckt.

So witzig, einleuchtend und selbstverständlich diese Beispiele auch klingen mögen, es steckt aber doch in ihnen an verborgener Stelle ein Problem, das Problem der T-theoretischen Begriffe. Es gibt offenbar in der Naturwissenschaft Theorien, in de-

nen zwei grundsätzlich verschiedene Begriffe vorkommen:

    a) die nicht-theoretischen Begriffe und

    b) die T-theoretischen Begriffe.

Die nicht-theoretischen Begriffe sind solche, die
sich unabhängig von dieser Theorie bestimmen lassen. Die T-theoretischen Begriffe sind solche, die
sich nur dann bestimmen lassen, wenn man die Gültigkeit der Theorie T voraussetzen kann.

    3 Beispiele:

    1. Die Theorie von Sigmund Freud: Neben *nicht-
theoretischen Begriffen*, wie Zeit, Erlebnisse, Asso-
ziationen, negative Erlebnisse, kommen in seiner
Theorie auch *T-theoretische Begriffe* vor, wie: das
Unbewußte, psychische Akte. Diese T-theoretischen Begriffe kommen vor Freud in der Umgangs-
sprache nicht vor, sie erhalten ihre Bedeutung erst
im Rahmen der für sie zuständigen Theorie. Vorher
haben sie keine oder nur eine sehr unklare Bedeutung.

    2. Die Mikroökonomie: *Nicht-theoretische Be-
griffe* sind hier: Personen, Güterarten, Gütermen-
gen, Preise. Ein *T-theoretischer Begriff* ist der Nutzen. Wenn man sich in der Mikroökonomie frägt,
warum die beteiligten Personen gerade in den vorliegenden Mengenverhältnissen Geld und Waren ge-
tauscht haben, lautet die Antwort: "Weil gerade bei
den vorliegenden Mengenverhältnissen alle Beteiligten maximalen *Nutzen* haben." Die Bedeutung des
Wortes Nutzen bleibt zunächst bewußt ungenau, um
diesen Begriff in möglichst vielen konkreten Situa-

tionen anwenden zu können und damit mit Inhalten füllen zu können.

3. Die klassische Mechanik: (Kraft ist Masse mal Beschleunigung; $F = m\frac{dv}{dt}$.) *Nicht-theoretische Größen* sind Geschwindigkeit, Zeit und damit auch die Beschleunigung. *T-theoretische Begriffe* sind Kraft und Masse. Alle bekannten Methoden der Massenbestimmung setzen die Gültigkeit des Newtonschen Gesetzes und zumindest ein spezielles Kraftgesetz als gültig voraus[62].

Soferne in einer Theorie nun tatsächlich solche T-theoretischen Begriffe vorkommen, gerät man in eine besondere Schwierigkeit: In der empirischen Wissenschaft sind Theorien grundsätzlich empirisch zu überprüfen. Und das Problem liegt nun darin, daß man bei der *erstmaligen* Überprüfung der Theorie T - für die Bestimmung der T-theoretischen Begriffe - *bereits die Gültigkeit der Theorie T voraussetzt!* Das heißt, eine solche Theorie wäre gar nicht empirisch interpretierbar. (Zu diesem Thema gibt es umfangreiche Literatur[63].)

Wir betrachten das Fundament der Naturwissenschaft, um uns davon zu überzeugen, daß ihre Priorität zu Recht besteht. Als Garant für die Erreichung dieses Ziels stehen uns intuitiv sofort verschiedene Forderungen vor Augen, die, wie man wohl annehmen kann, in der Naturwissenschaft in äußerster Strenge eingehalten werden. Als besonders wichtige Bedingungen sind hier zu nennen:

○Im Rahmen der naturwissenschaftlichen Sicht mögen nur jene Einsichten zugelassen sein, die uns aus der *Erfahrung* entgegenkommen. Nur die Erfahrung möge uns als Quelle und Basis für unser Wissen über die Welt gelten. Ein solches Wissen wollen wir zur Abgrenzung gegen anderes Wissen empirisches Wissen nennen. Wenn wir etwas nicht auf empirische Weise erfahren können, dann können wir es auch nicht im empirischen Sinn wissen.

○ Wir sind an einer empirischen Wissenschaft interessiert, also an einer Sicht, die ihre Quellen in der Erfahrung hat und die einen *korrekten, am besten einen logischen und in sich widerspruchsfreien, kohärenten Aufbau* aufweist. Wir suchen also eine Sicht, die empirisch-wissenschaftlich ist.

○ Wir fordern als weitere Bedingung die *Falsifizierbarkeit*. Behauptungen, die sich der Überprüfbarkeit auf irgendeine Weise entziehen, gelten von vornherein als verdächtige Behauptungen und sind aus der Naturwissenschaft auszuscheiden.

○ Eine andere wichtige Forderung ist die *Reproduzierbarkeit* der Erfahrungstatsachen. Jeder müßte jederzeit an jedem beliebigen Ort Erfahrungstatsachen in identischer Weise hervorbringen und gewinnen können, wenn er nur die betreffenden Randbedingungen sorgfältig einhält.

○ Das *Kausalitätsprinzip* wurde früher oftmals als das eigentliche zentrale Gesetz der Natur aufgefaßt. Man hat gesagt: Ohne Ursache geschieht nichts. Ursache und Wirkung bilden eine Kette, die aus der Vergangenheit kommt, durch die Gegenwart hindurchläuft und in der Zukunft verschwindet. Eng mit dieser Sicht sind die *deterministischen Gesetze* verbunden, die immer und ohne Ausnahmen gelten. ("*Jeder* Körper, dessen Dichte kleiner als 1kg/dm^3 ist, kann im Wasser schwimmen.") Es ist bekannt, daß man mit solchen deterministischen Gesetzen in der Naturwissenschaft nicht das Auslangen findet und auch *indeterministische Gesetze* (statistische Gesetze) zulassen muß. ("Die Wahrscheinlichkeit, daß ein Strontiumatom mit der Massenzahl 90 einen radioaktiven Atomzerfall im Verlauf von 28 Jahren erleidet, ist ihrem Zahlenwert nach gleich $^1/_2$." Oder anders gesagt: "Die Halbwertszeit von Strontium 90 ist 28 Jahre.")

○ Eine andere wichtige Forderung, die in entscheidender Weise das Selbstverständnis der Naturwissenschaft berührt, ist die *Kumulativität* des Wissens. Alles was man erkannt hat, hat man für alle Zeiten erkannt und gewonnen und zählt es zum sicheren Schatz des Wissens. Durch nichts - so meint man - kann das *richtig* Erkannte wieder ungültig werden. Selbstverständlich kann sich einmal auch etwas *unrichtig* Erkanntes in die Naturwissenschaft einschleichen. Es kann sich zum Beispiel ein verwendetes (vermeintliches) Gesetz als unzutreffend herausstellen, oder es kann sich zeigen, daß irgendwelche Messungen, die man beim Akt des Erkennens verwendet hat, fehlerhaft waren. Ja, es kann auch bei der Verknüpfung der Teilgedanken ein logischer Fehler aufgetreten sein. In allen diesen Fällen ist das vermeintlich Erkannte natürlich unrichtig! Aber wenn man (zum Beispiel mit Hilfe eines allmächtigen überirdischen Geistes) alles richtig gemacht hat, dann dürfen wir doch wohl erwarten, daß das derart Erkannte ein für alle Male erkannt ist und mit anderem kumulierbar ist und in den Turmbau des Wissens vertrauensvoll eingefügt werden kann.

Wenn wir von naturwissenschaftlichen Erkenntnissen sprechen, oder wenn wir überhaupt von der naturwissenschaftlichen Sicht reden, dann stehen intuitiv Gesetze und Theorien vor unseren Augen, die sich aus scharf definierten kleinsten Denkelementen, den Begriffen, zusammensetzen. Die Gesetze und Theorien ermöglichen beobachtbare Phänomene zu erklären und sogar vorauszusagen und so die Wirklichkeit zu erfassen und sogar bis zur Realität vorzudringen. Das naturwissenschaftliche Bild tut sich vor uns auf. Und um nun festzustellen, ob das wirklich so einfach geht, wollen wir die einzelnen Stufen, nämlich die *Begriffe, Gesetze und Theorien, Erklärungen und Voraussagen* sowie *Wirklichkeit und Realität* näher beleuchten.

Begriffe

Jedermann weiß, daß in der Naturwissenschaft ein umfangreiches Begriffsinstrumentarium zur Verfügung steht, das von relativ einfach gebauten Begriffen bis zu hochspezialisierten Sonderbegriffen reicht und bildlich gesprochen eine ganze Begriffspyramide darstellt. Wenn man vor diesem Gebäude steht, dann fragt man sich ganz unwillkürlich, worauf denn dieser Begriffsbau eigentlich aufsetzt. Was ist es denn, was mich veranlaßt, ein Körnchen Salz als Kristall aufzufassen oder diesen Baum dort am Waldesrand als Tanne zu klassifizieren. Wo ist hierfür die Basis zu finden?

Die Basis ist die sogenannte *Anschauung*. Es ist damit eine möglichst allgemeine, breite und unverengte Form des Gewahrwerdens und Innewerdens gemeint. Diese hier zugelassene Breite ist ganz wichtig, damit nicht von vornherein irgendetwas ausgeschlossen wird, das man später vielleicht vermißt. Im Zug der eigentlichen Begriffsbildung geschieht dann später das erforderliche scharfe Zurechtschneiden, welches dann zu den präzisen wissenschaftlichen Begriffen führt.

Die Basis für die Begriffspyramide ist also die Anschauung, gewissermaßen ein wahrnehmungshaftes Gewahrwerden, ein empirisches, nichtbegriffliches Erfassen von Wirklichkeiten, aber auch ein nicht an die "Sinne" gebundenes Innewerden etwa von logischen und mathematischen oder ästhetischen Wirklichkeiten und ähnlichem.

Hier liegt eine gewisse Schwierigkeit, auf die aufmerksam gemacht werden soll. Wir stehen hier ganz am Anfang unserer Überlegungen, wie es zur Wissenschaft kommt. Wir planen Begriffe zu bilden, um aus ihnen später eine ganze Wissenschaft zu bauen, zum Beispiel die Physik, die Chemie oder die Physiologie. Wenn wir hier von Anschauung sprechen, so müssen wir uns zunächst streng davor hüten, durch genauere Angaben die Art, wie die Anschauung gewonnen wird, exakt festzulegen. Man darf also nicht sagen, dieses oder jenes Anschauungselement wurde mit meinem Auge (das wie ein Fotoapparat funktioniert) gewonnen oder durch mein Ohr aufgenommen (das eine Schallschwingung über eine Membrane wie ein Mikrofon registriert hat). In diesem frühen Stadium unserer Überlegungen haben wir ja noch gar keine Physik, die optische Gesetze zur Verfügung stellen könnte, wir haben noch keine Akustik, wir haben noch keine Physiologie, die eine Reizleitung in Nervenzellen beschreibt und davon reden könnte, auf welche Weise ein Gehirn solche Reize verarbeitet. Das alles kommt erst viel später auf Grund sorgfältiger Schärfung und Verengung des wissenschaftlichen Blickes. Eine genaue Angabe, auf welche Weise die Anschauung gewonnen wird, wäre hier in diesem Zeitpunkt ein Vorurteil (!) zugunsten eines bestimmten, erst später konstruierbaren Denkmusters. Ein solches Vorurteil wäre ein schwerer methodischer Fehler. (Selbstverständlich werden wir hinterher zu den diversen Sinnesorganen im Rahmen einer naturwissenschaftlichen Betrachtungsweise noch finden.)

Auf der Basis dieser Anschauung werden Begriffe von unterschiedlicher Aussagekraft gebildet[64], die aber alle gebraucht werden und ihre besondere Bedeutung haben. *Klassifikatorische Begriffe* schaffen eine Klasseneinteilung, um vom Wald und der Wiese sprechen zu können oder Stoffe als kristallin oder amorph bezeichnen zu können. *Komparative Begriffe* sind Vergleichs-Begriffe und können Sachverhalte zum Ausdruck bringen wie: Gold ist schwerer als Blei. *Quantitative Begriffe* gehen noch weiter und ordnen ihren Objekten Zahlenwerte zu. Alle diese Begriffe sind uns nicht vom lieben Gott in fertiger Form zur Verfügung gestellt worden, sie sind von uns selbst nach einem bestimmten Verfahren sorgfältig konstruiert worden.

Um hiervon eine gewisse Vorstellung zu vermitteln, möchte ich einige Konstruktionsprinzipien beschreiben. Einerseits bezeugen diese Prinzipien die besondere Sorgfalt, mit der hier vorgegangen wurde, und anderseits - und das ist das viel Aufregendere - werden uns später die besonderen Schwierigkeiten vor Augen stehen, die gerade mit diesen spitzfindigen und pedantischen Festlegungen verbunden sind. Lassen Sie mich also einige dieser Konstruktionsprinzipien im Bereich der Begriffsbildung anführen, auch wenn es zunächst vielleicht etwas trocken klingt:

Komparative Begriffe, also Vergleichsbegriffe, bedienen sich zweier Relationen, der *Vorgängerrelation* V und der *Koinzidenzrelation* K. Die Vorgängerrelation xVy stellt zum Beispiel fest "x ist ein Vorgänger von y" oder angewendet auf Fragen der Mineralogie: "x ist nicht so hart wie y", x geht also dem y in seiner Härte voraus. Die Koinzidenzrelation xKy sagt "x koinzidiert mit y" oder: "x ist genauso hart wie y". Das scheint sehr selbstverständlich und unkompliziert zu sein, es beinhaltet aber doch gewisse Schwierigkeiten. Beide Relationen, also die Vorgängerrelation V und die Koinzidenzrelation K, sind genau festzulegende empirische Untersuchungen, die bestimmten Postulaten genügen müssen, wobei sicherzustellen ist, daß sie für *alle* denkbaren Möglichkeiten erfüllt sind. Nur solche Meßvorrichtungen, die alle Postulate nachweislich erfüllen, sind zur Festlegung des betreffenden komparativen Begriffes geeignet.

Als Beispiel für ein solches Postulat sei die Bedingung genannt, daß die Koinzidenzrelation K "transitiv" sein muß. In mathematischer Schreibweise bedeutet diese Forderung

$$\wedge x \wedge y \wedge z (xKy \wedge yKz \rightarrow xKz) \ .$$

Diese Gleichung besagt scheinbar eine Selbstverständlichkeit: Für alle x, für alle y und für alle z hat nämlich zu gelten, daß wenn x mit y koinzidiert und y mit z, dann muß auch x mit z koinzidieren. Wenn also Peter und Alex gleich groß sind und auch Alex und Paul die gleiche Körpergröße haben, dann sind auch Peter und Paul von gleicher Größe. Sollte die verwendete *Meßmethode* dieses Postulat in irgendeinem Fall *nicht* erfüllen, dann ist diese Meßmethode zu verwerfen und man muß sich nach einem anderen Verfahren umsehen.

Es ist also nicht selbstverständlich, daß jedes experimentelle Meßverfahren solche Bedingungen erfüllt. Nehmen wir beispielsweise an, Peter, Alex und Paul wären sehr große junge Männer, die alle drei - soferne sie aufrecht stehen - mit ihrem Kopf gerade die Unterkante des Türstockes berühren. Man würde sagen, alle drei sind gleich groß. Dennoch kann diese Aussage falsch sein, wenn man bemerkt, daß Alex ein unverhältnismäßig hohes Körpergewicht

hat und in dem flauschigen Bodenbelag stärker ein-
sinkt als die beiden anderen.

Wenn man auf verläßliche Weise quantitative Begriffe bilden will, dann sind gleich mehrere Regeln
und Prinzipien sehr sorgfältig einzuhalten, wie man
aus einem einfachen Beispiel sofort erkennen kann:
Nehmen wir an, es soll die Länge eines Teppichs
bestimmt und durch eine Zahl zum Ausdruck gebracht werden. Um diese Aufgabe erfüllen zu können, braucht man 1.) eine Einheit, 2.) die Gleichheitsregel, 3.) das Additivitätsprinzip und 4.) das
Kommensurabilitätsprinzip.

1.) *Die Einheit* ist für die Schaffung quantitativer
Begriffe eine Grundvoraussetzung. Um Abstände zu
messen braucht man einen Meterstab. Hohe Anforderungen wird man an solche Einheiten stellen: Sie
dürfen sich zum Beispiel keinesfalls unkontrollierbar
"von selbst" verändern. Erst wenn das sichergestellt
ist, ist der quantitative Begriff im wissenschaftlichen
Sinn gültig definiert. (Neben der Einheit der Länge
benötigt man in der Naturwissenschaft selbstverständlich auch noch andere, wie zum Beispiel eine
Einheit für die Zeit, die Masse, usw.)

2.) *Die Gleichheitsregel*, also die vorhin genannte
Koinzidenzrelation, gestattet die Feststellung der
Gleichheit. Es muß also auf irgend eine Art möglich
sein festzustellen, daß zum Beispiel zwei Stäbe
gleich lang sind. (Die Feststellung der Gleichheit
wird für unterschiedliche Begriffe unterschiedlich
vorzunehmen sein. Die Gleichheit zweier Strecken,
die Gleichheit zweier Zeitabschnite oder die Gleich-

heit zweier Massen wird jeweils nur mit unterschiedlichen Methoden zu registrieren sein.)

3.) *Das Additivitätsprinzip* ist gleichfalls wieder eine recht selbstverständliche Forderung: Es besagt für unser Beispiel der Längenmessung, daß die Länge zweier längs einer Geraden hintereinander gelegter Stäbe gleich der Summe der Länge der Einzelstäbe sein soll. (Auch hier beim Additivitätsprinzip muß daran erinnert werden, daß unterschiedliche Vorgänge vorliegen, wenn man die Additivität unterschiedlicher Begriffe prüft: Die Additivität der Länge wird anders in die Tat umgesetzt, als es bei der Zeit, der Masse oder der Geschwindigkeit geschieht.)

4.) *Das Kommensurabilitätsprinzip* ermöglicht es endlich, durch einen Prozeß des Zählens den quantitativen Begriff zu ermitteln und anzugeben: Zur Bestimmung der Länge eines Teppichs kann man zum Beispiel 66 Zündhölzer hintereinanderlegen ("Additivitätsprinzip") und zwischen Zündholzreihe und Teppichlänge Längengleichheit ("Gleichheitsregel") feststellen. Stellt man weiters fest, daß 25 hintereinander liegende Zündhölzer gleich lang ("Gleichheitsregel") sind wie ein Meterstab ("Einheit"), dann kann man daraus schließen, daß der Teppich 2,64 Meter lang ist; denn 66 Zündhölzer von 4 Zentimeter Länge ergeben 2,64 Meter. (Die Genauigkeit der Messung ließe sich steigern, wenn man anstelle der Zündhölzer sogenannte Endmaße verwendet. Durch Aneinanderreihen mehrerer solcher Endmaße mit parallelen Meßflächen sind beliebige Längen auf 0,001 Millimeter genau zu Meß-zwecken zusammenstellbar.)

Wir sprechen hier von sehr einfachen Begriffen und erläutern sie an einfachsten Beispielen. Es versteht sich aber wohl von selbst, daß all die anderen, beliebig komplizierten Begriffe, die von der Kosmologie bis zur Kernphysik und von der Gentechnik bis zur globalen Ökologie verwendet werden, auf dem gleichen Fundament ruhen. Wenn man beispielsweise präzise Massebestimmungen an Atomen oder Molekülen vornehmen will, dann macht man in ausgefeilten Experimentiervorrichtungen elektrische und magnetische Ablenkversuche und findet zu konkreten Vorstellungen. Hiernach ist zum Beispiel die Masse eines Wasserstoffatoms $m_H = 1,673.10^{-27}$kg oder die des ruhenden Elektrons $m_e = 9,109.10^{-31}$kg; die Masse der Sonne liegt dagegen - um ein anderes Extrem zu nennen - bei $m_{Sonne} = 1,991.10^{30}$ kg.

Um zu erfahren, ob ein Elektron magnetische Eigenschaften hat, macht man Ablenkungsversuche in inhomogenen Magnetfeldern und findet für den Wert des magnetischen Momentes (Bohrsches Magneton) $\mu_B = 9,27.10^{-24}$Am^2.

Jedes Vordringen in Tiefen, die uns nicht unmittelbar zugänglich sind, setzt voraus, daß unsere "Sonden" bis herauf in den Kosmos unserer eigenen Erfahrung reichen. Jede naturwissenschaftliche Größe drückt sich dabei zuletzt in Einheiten aus, die wir als Meter, Kilogramm, Sekunde, Ampere, usw. festgelegt haben. Das gilt für die Gehirnströme in der Medizin in gleicher Weise wie für die Lichtquanten aus einer fernen Galaxie des Weltalls.

Gesetze und Theorien

Die wissenschaftlichen Begriffe sind durch scharf definierte Prinzipien festgelegt worden; hierdurch ist zu hoffen, daß Gesetze und Theorien ein standfestes Fundament erhalten. Im folgenden wollen wir nicht einzelne Gesetze und Theorien aufzählen und beschreiben, sondern wir wollen davon sprechen, was man heute ganz allgemein unter einem Gesetz oder einer Theorie versteht. Nur so können wir nämlich begreifen, was eine wissenschaftliche Erklärung ist, die Schritt für Schritt zum naturwissenschaftlichen Weltbild führt.

Wenn man von einem "Gesetz", einem Naturgesetz spricht, dann verbindet man damit zumeist die Vorstellung, daß es sich dabei schlicht und einfach um eine Formel handelt, wie zum Beispiel "Kraft ist Masse mal Beschleunigung". Diese Auffassung ist unvollständig und übersieht wichtige Details. Um es daher auch von der sprachlichen Seite deutlich hervortreten zu lassen, daß zu einem solchen Gesetz noch viel mehr dazu gehört als bloß eine Formel, wollen wir hier anstelle von "Gesetzen" besser von "Theorien" sprechen. Unter Theorie versteht man im allgemeinen Sprachgebrauch ein *System* wissenschaftlich begründeter Aussagen zur Erklärung bestimmter Tatsachen oder Erscheinungen und zur Durchleuchtung komplexer Zusammenhänge. Das Wort Theorie bringt dadurch meines Erachtens deutlicher zum Ausdruck, daß da noch viel mehr hereinspielt als bloß ein mathematischer Formelausdruck. Und was da alles mitspielt, von dem soll jetzt die Rede sein.

Die einfachste und grundlegendste Ausprägung einer Theorie ist das sogenannte Theorie-Element. Das Theorie-Element ist in seinem Wesen ein Modell, dem "beispielhafte Anwendungen" beigefügt sind, die dem Benützer der Theorie (möglichst deutlich) sagen, von welchen Anwendungen das Theorie-Element zu sprechen beabsichtigt. Das ist ganz wichtig, weil erst dadurch zum Ausdruck gebracht wird, wofür die Theorie gilt und wofür nicht, worauf sie also anwendbar ist. Sollte sich einmal herausstellen, daß eine der "intendierten" (also von der Theorie gemeinten) Anwendungen durch das Modell *nicht* erfaßt werden kann, dann hat sich dieses Theorie-Element als *falsch* erwiesen und es ist zu eliminieren. Jede naturwissenschaftlich gemeinte Aussage muß, wie wir wissen, falsifizierbar sein, wenngleich sie noch nicht falsifiziert sein darf, solange man sie verwendet. In diesem Spannungsverhältnis muß der Naturwissenschaftler leben. Ein Theorie-Element ist also die kleinste Einheit und besteht vereinfacht gesagt

○ aus einer Modellvorstellung und
○ aus den beispielhaften Anwendungen, die auf die intendierten Anwendungen schließen lassen.

Betrachten wir als Beispiel für ein Theorie-Element in vereinfachter Weise die klassische Mechanik.

Das *Modell M* besteht aus einer punktförmig gedachten Masse m , an der man Geschwindigkeiten und damit Beschleunigungen $\frac{dv}{dt}$ messen kann. Auf die Masse m wirkt eine Kraft F. Das Modell setzt Kraft, Masse und Beschleunigung zueinander in eine deterministische Beziehung durch den mathematischen Formelausdruck $F = m.\frac{dv}{dt}$.

Nicht alle Gegebenheiten in der Welt haben eine Chance, durch diese Theorie der klassischen Mechanik erfaßt zu werden. Zum Beispiel wird sich mein Unbewußtes dieser Theorie entziehen, weil da von vornherein Kräfte, Massen und Beschleunigungen gar nicht auftreten. Beim Unbewußten ist die Sache also chancenlos. Es gibt aber sehr viele andere Beispiele, wo man sehr wohl Kräfte auf Massen einwirken sieht und wo auch gewisse Beschleunigungen zu registrieren sind. Als Beispiele könnte man nennen:

Auto beim Kavalierstart
Verwüstung in Sibirien durch Meteoritensturz
    am 30. Juni 1908
Bahn des Planeten Uranus
Pendelbewegung
fallender Stein
fallendes Birkenblatt im Herbst
Vogel
Kind zieht Rodel
usw.

Diese Beispiele sind noch *nicht* jene Beispiele, von denen die Theorie zu sprechen beabsichtigt, es sind das hier höchstens *mögliche Modelle M$_m$*.

Erst die beispielhaften Anwendungen, die sogenannten *paradigmatischen Anwendungen I_0*, die
dem Modell M vom Erfinder der Theorie beigefügt
sein müssen, machen eine Aussage, von welchen
Anwendungen das Theorie-Element zu sprechen beabsichtigt. Die paradigmatischen Anwendungen sind
im allgemeinen als Übungsaufgaben zur Theorie formuliert und vermitteln all das, was man sonst noch
wissen muß, um die Theorie erfolgreich anwenden
zu können. Also spricht zum Beispiel eine solche
Übungsaufgabe von einer rollenden Kugel, bei der
keine Reibung, kein Luftwiderstand und *keine anderen Einflüsse* (z.B. Einfluß benachbarter Planeten) wirken mögen. Eine ganze Reihe solcher para-
digmatischer Beispiele steckt den Bereich ab, für
den die Theorie gilt. An dieser Stelle ist ausdrück-
lich darauf hinzuweisen, daß man leider keine Möglichkeit hat, absolut eindeutig festzuhalten, für welche der unendlich vielen möglichen Anwendungen
eine Theorie wirklich gilt.[65] (Sollte der Gültigkeits-
bereich nicht sorgfältig genug abgegrenzt sein, dann
ist zu erwarten, daß die Theorie in Kürze falsifiziert
sein wird und aus der Naturwissenschaft auszuscheiden ist.)

Die *intendierten Anwendungen I* sind also jene
Anwendungen, von denen die Theorie zu sprechen
beabsichtigt. Intendierte Anwendungen wären in unserem Fall:

    Auto
    aufprallender Meteor
    Bahn des Planeten Uranus
    Pendelbewegung

nicht zu schnell fallender Stein
nicht intendiert sind dagegen:
(durch Neptun) gestörte Bahn des Planeten
   Uranus
fallendes Birkenblatt im Herbst (Luftwiderstand)
Kind zieht Rodel (Reibung)
Vogel (spontanes Handeln)

Das Wort "Theorie-Element" hat es schon zum Ausdruck gebracht, daß hier nur die einfachste Ausprägung einer Theorie gemeint ist. Umfangreiche Theorien stellen sich wesentlich komplexer dar. Aus der ersten Keimzelle der Theorie (dem sogenannten Basiselement T_b) können sich weitere Theorie-Elemente entwickeln, es können neuerdings entdeckte Theorie-Elemente auch auf unterschiedlichen Wegen aufgefunden werden. Unsere Struktur wird netzartig verwoben und vermascht zu denken sein. Ein *Theorienetz* mit einer bestimmten Struktur liegt also vor, welches sich im Lauf der Wissenschaftsentwicklung verändern kann: Im allgemeinen wird das Netz immer reichhaltiger werden, manchmal aber ist vielleicht auch etwas zurückzunehmen. Wichtig ist es daher zu beachten, daß trotz der laufenden Veränderungen des Theorienetzes seine Identität immer erhalten bleibt! Denn die Keimzelle der Theorie - das erwähnte Basiselement T_b - ist unverändert geblieben und verleiht dem gesamten Theorienetz seine eigene Identität. Diese Veränderungen des Theorienetzes nennt man nach Thomas S. Kuhn[66] den Gang der "normalen Wissenschaft". Die heutige Wissenschaft zum Beispiel befindet sich in diesem Stadium. Der Ausdruck *normale Wissen-*

schaft läßt ahnen, daß es noch eine andere Art der Wissenschaftsentwicklung gibt, die sich hiervon grundsätzlich unterscheidet. Es ist das die "wissenschaftliche Revolution".

Wir haben es beim Gang der normalen Wissenschaft schon angedeutet, daß jeder neue Anwendungsfall sich zunächst der Problemlösung widersetzt. Es ist ja auch gar nicht hundertprozentig sicher, daß ihn die Theorie erfassen kann. Oft hat man tatsächlich schon Schiffbruch erlitten. Manche voreilige Netzerweiterung mußte rückgängig gemacht werden, und man mußte nach anderen Wegen suchen. Manchmal begegnet man aber auch besonders widerspenstigen Anwendungen, die sich dem Theorienetz hartnäckig widersetzen. In solchen Fällen gravierender Fehlschläge kann es zu einer *wissenschaftlichen Revolution* kommen. Der wissenschaftliche Revolutionär gibt das alte Theorienetz (mit dem Basiselement T_b) auf und sucht nach einem neuen Theorie-Basiselement T_b' , welches den Anwendungsfällen besser gerecht wird. Sollte er fündig werden, und sollte sich das neue Theorie-Basiselement T_b' als entwicklungsfähig erweisen und zu einem neuen, besseren Theorienetz führen, dann verdrängt die neue Theorie die alte. Eine wissenschaftliche Revolution ist dann vor unseren Augen abgelaufen.

Den Gang der normalen Wissenschaft und das Auftreten einer wissenschaftlichen Revolution kann man in der Naturwissenschaft immer wieder beobachten. Die Newtonsche Mechanik zum Beispiel, die sich in normalwissenschaftlicher Manier zu einem ungeheuer fein ausgestalteten Netz entwickelt hat, welches alle Einzelheiten zu erfassen schien, wurde durch die Relativitätstheorie abgelöst, die zu einem komplett veränderten Theorienetz geführt hat. Ähnlich war auch der Übergang von der klassischen Mechanik zur Quantenmechanik. Hier werden wir darüber hinaus auch noch auf einen anderen grundsätzlichen Wandel mit Vehemenz aufmerksam gemacht: Deterministische Gesetze treten zugunsten statistischer Gesetze immer mehr in den Hintergrund.

Erklärungen und Voraussagen

Das Wort "Erklärung" meint im täglichen Sprachgebrauch oft recht Verschiedenes. Wenn zum Beispiel jemand wissen möchte, was ein Steirisches Ritschert ist, dann *erklärt* man ihm, daß es sich um eine besondere österreichische Landesspeise handelt, bei der eingeweichte Bohnen und Rollgerste mit würfelig geschnittenem Kaiserfleisch (was man in diesem Sinn wieder *erklären* könnte) und gerösteter Zwiebel, mit Knoblauch und Salz versehen, im Rohr weichgedünstet werden. Ein solches Erklären *interpretiert* die Bedeutung einer Bezeichnung.

Ein anderer Fall liegt vor, wenn man einen befreundeten Zauberkünstler bittet, ein bestimmtes Kartenkunststück zu *erklären*. Er wird dann in ausführlichen Beschreibungen, verbunden mit erläuternden Demonstrationen zeigen, wie es möglich war, die betreffende Illusion, die uns so verblüfft hat, hervorzurufen.

Noch einmal liegt ein anderer Fall vor, wenn einem *erklärt* wird, wie man vorzugehen hat, wenn man mit Hilfe von Münzen bei einem Automaten Vorverkaufsfahrscheine beziehen will; oft ist das ja gar nicht einfach.

Diese Formen von Erklärung sind hier in unserem Abschnitt *nicht* gemeint. Wir meinen in unserem Zusammenhang die sogenannte *wissenschaftliche Erklärung*. Eine solche Erklärung ist nichts anderes als eine Antwort auf eine Warum-Frage. Herkömmlicherweise faßt man eine wissenschaftliche Erklärung als eine logische Schlußfolgerung auf, die uns zwingend verstehen läßt, warum ein bestimmtes Ereignis eingetreten ist. Wenn man zum Beispiel sieht, daß ein großer Stein im Wasser schwimmt, dann wird man diesen Sachverhalt verstehen, wenn man folgendes erfährt:

Deterministisches Gesetz:
Alle Gegenstände, deren Dichte geringer
als die vonWasser ist, können schwimmen.

Randbedingung:
Dieser Stein aus vulkanischem Tuff
hat eine geringere Dichte als Wasser.

---

daraus kann man eine Schlußfolgerung ziehen, die mit
logischer Sicherheit gilt:

Dieser Stein aus vulkanischem
Tuff kann schwimmen.

Die Erklärung weist die Übereinstimmung des beobachteten Phänomens mit den Gesetzen und den vorliegenden Randbedingungen nach. Erklärungen geben eine Antwort auf eine Warum-Frage und spannen unsere empirisch-wissenschaftliche Sicht als Denkmuster, als Bild vor uns auf.

In der Naturwissenschaft und Technik sind neben den Erklärungen auch Voraussagen von entscheidender Bedeutung, denn Voraussagen ermöglichen uns ein zielgerichtetes technisches Handeln. *Voraussagen* können wir dabei als Erklärungen von Ereignissen auffassen, bevor diese noch stattgefunden haben. Wenn man zum Beispiel für eine neu zu konstruierende Brücke voraussagen kann, daß dreißig Tonnen schwere Lastkraftwagen diese nicht zum Einsturz bringen und man damit zufrieden ist, weil ohnehin nur Zwanzigtonner zugelassen sind, dann ist die Voraussage die Rechtfertigung für das geplante technische Handeln.

Was hier über die Erklärung und Voraussage gesagt wurde, klingt zunächst recht einfach und selbstverständlich. Man darf sich aber da nicht täuschen lassen, denn ganz so komplikationslos läuft dieser Vorgang nicht immer ab. Man kann nämlich immer nur dann sagen, daß eine solche Erklärung angemessen ist, wenn sie die sogenannten Hempelschen Adäquatheitsbedingungen erfüllt. Es stellt sich hierbei heraus, daß es sehr schwer ist, diese Bedingungen in aller Strenge nachweislich einzuhalten. Über diese Frage existiert umfangreiches Schrifttum[67].

Es muß darüber hinaus auch noch auf eine andere Komplikation hingewiesen werden. Wir haben hier beim Paradigma der Erklärungen und Voraussagen nur von *deterministischen* Gesetzen gesprochen. Wir wissen aber schon von früher, daß das nicht genügt, weil sich *statistische* Gesetze in der gesamten Naturwissenschaft immer mehr in den Vordergrund schieben. Wir werden also auch diese Besonderheiten noch zu beleuchten haben.

Wirklichkeit und Realität

Die Frage nach der Wirklichkeit scheint im ersten Moment überhaupt keine Frage zu sein. Die Wirklichkeit ist für uns etwas Selbstverständliches. Für mich ist es zum Beispiel eine Wirklichkeit, daß ich vor mir ein Blatt Papier habe, auf dem ich schreibe. Für mich ist aber auch mein schwarzer Hund eine Wirklichkeit, auch wenn ich ihn im Moment nicht sehe, so bin ich aber doch recht sicher, daß er freudig an mir hochspringt und mich begrüßt, wenn ich aus meinem Arbeitszimmer trete und zu ihm gehe. Es gibt einfache Ausprägungen von Wirklichkeiten, wie etwa die wärmende Sonne, die man fühlt, wenn man auf einer blumenbestandenen Sommerwiese liegt. Es gibt aber auch andere Ausprägungen von Wirklichkeiten, wie sie zum Beispiel in physikalischen Experimenten erfahren werden.

Beispiele für Wirklichkeiten, die sich mir in der naturwissenschaftlichen Sicht zeigen, sind Raum, Zeit, Materie, Mensch als materielles Wesen, das wissenschaftlich Ergreifbare der menschlichen Seele, Tiere, Pflanzen, die Mondesfinsternis vom 30. 1. 1991, aber auch jene Laboruntersuchung, die ich vorige Woche an Eiseneinkristallen vorgenommen habe. Die *Wirklichkeit* ist also der Inbegriff dessen, was auf mich wirkt.

In der Naturwissenschaft verschärft man aber oft jenes, was man als Wirklichkeit erfahren hat, zu einer *objektiven Wirklichkeit*. Mit "objektiv" meint man "unabhängig und absehend vom Subjekt", also absehend vom bloß subjektiven Meinen. Man versteht unter einer objektiven Wirklichkeit jene Wirklichkeit, die für *jedes* erkennende Wesen, für jedes Subjekt gültig ist. Die objektive Wirklichkeit ist also eine *intersubjektive Wirklichkeit*, die man auch als *Realität*, als naturwissenschaftliche Realität bezeichnet.

Es sei besonders darauf hingewiesen, daß der Sprachgebrauch hier manchmal schwankt. Im vorliegenden Text, der sich eher dem naturwissenschaftlich-technischen Sprachgebrauch zuneigt, bedeutet "Realität" eine besondere Form von Wirklichkeit, nämlich eine intersubjektive Wirklichkeit. Hier ist also *nicht* jene "Realität" gemeint, die auf das ontologische Ansichsein abzielt.

Beispiele für die Realität sind Raum, Zeit, Materie, Mensch als materielles Wesen, das wissenschaftlich Ergreifbare der menschlichen Seele, Tiere, Pflanzen und die genannte Mondesfinsternis. Denn alle erkennenden Wesen können diese Wirklichkeiten bestätigen, wodurch sie zur Realität werden. Eine Ausnahme bildet allerdings die vorhin erwähnte Laboruntersuchung, die ich vorige Woche an Eiseneinkristallen vorgenommen habe. Die sorgfältig durchgeführte Messung hat ein Ergebnis geliefert, das für mich überraschend war, weil ich ein anderes Resultat erwartet habe. Umso sicherer bin ich, daß ich mich nicht getäuscht habe. Kollegen, die das Experiment reproduzieren wollten, konnten meine Angaben jedoch nicht bestätigen und sogar mir selbst ist es später nicht mehr gelungen, den Versuch in der damaligen Art zu wiederholen. Dieses Experiment ist für mich also bloß eine *Wirklichkeit* gewesen und hat sich nicht als *Realität* erweisen können.

*

Die naturwissenschaftliche Denkweise hat durch ihre übermächtige Priorität andere Arten, wie man etwas sehen und verstehen kann, in den Hintergrund gedrängt. Von anderen Bildern allein gelassen, steht man bestürzt vor Konsequenzen, die man vorher nicht ahnen konnte. Ihre verlockenden künstlichen Welten haben unvermutet eine Kehrseite gezeigt, die die goldenen Verheißungen zuletzt bei weitem kompensiert. Haben wir uns durch die voreilig zugestandene Priorität der Naturwissenschaft, ohne es zu merken, womöglich selbst beschnitten, und stehen wir deshalb unberaten vor diesen Problemen?

Dieser Frage sind wir nachgegangen und haben die naturwissenschaftliche Methode genauer beleuchtet. Manches, was wir zu Beginn in erster Euphorie geglaubt haben, haben wir zurechtgerückt und setzen fest: Alles was die Naturwissenschaft sagt, muß auf der Erfahrung fußen und muß logisch verknüpft sein. Ja, man geht sogar so weit, daß eine Aussage, die sich der Überprüfbarkeit entzieht, von vornherein als verdächtige Behauptung gilt und aus der Naturwissenschaft ausgeschieden wird. Reproduzierbarkeit, Gesetzlichkeit und Kumulativität werden beachtet.

Auf dieser Grundlage hat man ein Begriffsinstrumentarium errichtet und nach Gesetzen und Theorien gesucht. Erklärungen und Voraussagen haben eine beträchtliche Präzisierung erlangt und zeigen dadurch wissenschaftliche Schärfe. Wirklichkeit und Realität verlieren ihre verschwommene Bedeutung.

Naturwissenschaft und Technik sind ein gigantisches Unternehmen, in dem heute unzählig viele Wissenschaftler tätig sind und immer neue Teile der naturwissenschaftlichen Realität zusammentragen.

Zu Beginn dieses Kapitels haben wir den Gedanken ausgesprochen, daß der Naturwissenschaft zu Recht eine Priorität vor anderen Bildern einzuräumen ist, weil nur sie weiß, während die anderen bloß vermuten. Dies scheint sich bestätigt zu haben.

Aber das scheint nur so!

Kapitel 5
Zerbricht die naturwissenschaftliche Realität?

Dieses Kapitel zeigt, daß die gesamte Na-
turwissenschaft auf einem Fundament ruht,
welches als eine unverifizierte hypotheti-
sche Verallgemeinerung einzustufen ist.

Das Fundament erweist sich als rissig. Wir werden
zur Kenntnis nehmen müssen, daß sogar auch die
naturwissenschaftliche Realität zersplittert und zer-
brochen ist. Es wird erörtert, auf welche Weise jene
Täuschung zustande kommt, die die Naturwissenschaft als bevorzugte Autorität erscheinen läßt.

Der Naturwissenschaft räumt man eine Priorität
vor anderen Bildern ein, weil *nur sie weiß*, während
die *anderen bloß vermuten*. Aber eines steht wohl
fest: Nur einem fugenlosen Bau würde man eine
solche Priorität vor anderen Bildern zuerkennen und
nicht einer zusammengepfuschten Hilfskonstruktion.
Ob dieser Bau sich nun als fugenlos erweist, wird
sich zeigen. Doch eines können wir jetzt schon sagen: Bereits *eine einzige* Unkorrektheit unterbricht
die Glaubwürdigkeit des gesamten Unternehmens!
Es ist das so ähnlich wie im Rechenunterricht beim

Auflösen eines Klammerausdruckes: Eine einzige Unkorrektheit macht das Ergebnis falsch. Das ist leider so, auch wenn die Schüler murren.

Man holpert, stolpert voran

Die Schwierigkeiten beginnen eigentlich schon recht früh. Begriffe, so haben wir gesagt, sind uns nicht in vollkommener Ausprägung vom lieben Gott geschenkt worden. Begriffe müssen wir sorgfältigst konstruieren, wenn sie nicht wertlos sein sollen. Hier müssen aus logischen Gründen Postulate nachweislich eingehalten werden, die für *alle* denkbaren Möglichkeiten erfüllt sind, denn die Postulate enthalten sogenannte Allquantoren ∧. ("Für *alle* x, für *alle* y und für *alle* z gilt dieses oder jenes." Bei den quantitativen Begriffen haben wir ein konkretes Beispiel genannt.) Sie sind also an *allen* Objekten zu überprüfen. Erst wenn das geschehen ist, dann ist der Begriff wissenschaftlich verläßlich und einwandfrei gebildet.

Es leuchtet unmittelbar ein, daß diese Forderung prinzipiell unerfüllbar ist. Man müßte die Postulate ja an allen Objekten der Erde oder sogar des ganzen Weltalls überprüfen. Und weil das nicht geht, vermutet oder hofft man bestenfalls, daß die Postulate gelten. Es ist bekannt, daß die naturwissenschaftlichen Begriffe aufeinander aufbauen, wodurch sich der erwähnte Mangel in epidemischer Weise durch *alle* Begriffe hindurchzieht. Wir wollen daher den Merksatz notieren:

○ *Die naturwissenschaftlichen Begriffe wurden voreilig gebildet und sind unverifizierte, hypothetische Verallgemeinerungen*[68].

Unsere wissenschaftliche Zivilisation ist durch die *Quantität* dominiert. Überall ist das Wieviel wichtig, alles wird gemessen, möglichst viel wird meßbar gemacht. Quantitative Begriffe stehen im Zentrum der naturwissenschaftlichen Argumentation; gewisse naturwissenschaftliche Wirklichkeiten lassen sich überhaupt nur durch quantitative Begriffe erfassen.

Diese Behauptung geht weiter als man im ersten Moment vielleicht vermuten würde. Wenn es keine quantitativen Begriffe gäbe, gäbe es selbstverständlich keine Ziffernaussagen und das wäre ein gewisser Informationsverlust. Aber das ist noch nicht alles. Es läßt sich leicht zeigen, daß in manchen Fällen (z. B. bei den Gasgesetzen) bei einer Rücknahme der *quantitativen* Begriffe *auch komparative Aussagen* verhindert werden! Es wird in solchen Fällen dann einfach überhaupt kein naturgesetzlicher Zusammenhang mehr sichtbar[69].

Um einen quantitativen Begriff bilden zu können, benötigt man eine Einheit. Die Länge kann man nur bestimmen, wenn man das Meter zur Verfügung hat und für die Zeitmessung benötigt man die Sekunde. Wenn wir bedenken, welche Bedeutung die quantitativen Begriffe für die Naturwissenschaft haben, wird man verstehen, daß hier äußerste Sorgfalt am Platz ist. Wir haben deshalb auch schon davon gesprochen, daß Einheiten von quantitativen Begriffen sehr sorgfältig ausgewählt werden müssen: Einheiten dürfen sich nicht unkontrollierbar "von selbst" verändern. Das ist selbstverständlich. Erst wenn das sichergestellt ist, ist ein quantitativer Begriff im wissenschaftlichen Sinn gültig definiert.

Beispielsweise benötigt man für die Zeitmessung einen exakt periodischen Vorgang. Woran kann man aber - bevor man noch die Zeit metrisiert hat - erkennen, daß ein periodischer Vorgang "exakt" periodisch ist? Es stehen ja sehr viele periodische Vorgänge zur Verfügung. Welchen wird man auswählen? Den Pulsschlag eines Potentaten?[70] Das Ziehen der Wolken am Himmel? Den täglichen Bürogang eines Beamten? Die Drehung der Erde oder das Schwingen eines Cäsiumatoms?

Aber diese Schwierigkeiten treten nicht etwa nur bei der Zeitmessung auf. Ähnliche Probleme gibt es auch bei der Längenmessung: Wie kann man die erforderliche Starrheit der Längeneinheit kontrollieren, bevor man noch Längen messen kann?

Bei der Festlegung von Einheiten wichtiger quantitativer Begriffe verwickelt man sich also unversehens in unlösbare Widersprüche. Es fällt einem schwer zu sagen, daß ein derart definierter Begriff wissenschaftlich gültig definiert wäre! Man erkennt auch sofort, daß dieser Makel kein Einzelschicksal ist, wenn man bedenkt, daß Meter und Sekunde in praktisch allen anderen naturwissenschaftlichen Begriffen vorkommen[71].

Wenn man sich aus dieser Situation irgendwie befreien will und weiterkommen möchte, dann legt man die Einheit einfach apodiktisch fest und erklärt sie für definitiv gültig. Beispielsweise kann man irgendeinen der periodischen Vorgänge als Zeiteinheit festlegen und als "Uhr" betrachten. Keine dieser im Prinzip möglichen "Uhren" kann man von vornherein als falsch abtun. Mit jeder wird man die Natur beschreiben können und man wird vielleicht auch "Naturgesetze" finden, allerdings werden sie unterschiedlich kompliziert sein.

Ein imaginärer "Naturwissenschafter", der den Pulsschlag seines Potentaten als Zeiteinheit verwenden will, wird zum Beispiel eine unvorstellbar komplexe Theorie aufzustellen haben, wenn er das Phänomen erklären möchte, warum Pendel in seinem Laboratorium langsamer schwingen, wenn der Herrscher Fieber hat. Wir anderen verstehen das, denn der schnellere Pulsschlag "täuscht" ihm vor, daß eine größere Zahl seiner geschrumpften "Zeiteinheiten" in eine Pendelschwingung hineinpaßt.

Oder ein anderes Beispiel:

Für Zwecke der Längenmessung verwendet man bekanntlich neuerdings die Laufzeit von Lichtwellen. Hätte man die Sekunde durch die Umdrehung der Erde definiert (1 Erdumdrehung = 1 Tag = 24 . 60 . 60 s = 86.400s), so müßte man sich mit einer geringfügig "atmenden" Erde abfinden, die also manchmal größer und manchmal kleiner ist. Definiert man dagegen die Sekunde über ein schwingendes Cäsiumatom, dann verschwindet dieses "Atmen" und man bemerkt, daß die Erde im Sommer- und im Winterhalbjahr sich nicht gleich schnell um ihre Achse dreht. Hier hätten wir also den gleichen Effekt wie beim Potentaten mit Fieber.

Damit sieht man aber nun deutlich einen Lösungs-weg vor sich: Man wird die Einheiten quantitativer Begriffe derart festlegen, daß die wichtigsten Natur-gesetze eine möglichst einfache Gestalt bekom-men[72]. Damit deutet sich hier aber etwas an, was später noch klarer zutage treten wird: *Begriffe las-sen sich oft nicht unabhängig von Gesetzen be-trachten, sie sind mit ihnen verwoben.* Kann man da noch sagen, "wir bilden Begriffe, untersuchen mit ihnen die Natur und finden Gesetze"? Das geht wohl nicht mehr, denn die Gesetze wirken auf die Begriffe zurück. Begriffe lassen sich nicht hypothesen- und theorienfrei definieren. *Begriffe sind immer schon "theoriendurchtränkt".*

Ein anderer sehr interessanter Gesichtspunkt ist natürlich auch die erwähnte Forderung der *Einfach-heit* der *wichtigsten* Naturgesetze. Wie wird man festlegen, welches die wichtigsten Gesetze sind? Was meint man eigentlich mit dieser Einfachheit? Kommt jedem stets dasselbe als einfach vor? Gibt es da nicht Unterschiede etwa zwischen verschiedenen Kulturkreisen? Auch kommt einem Goethes Bemer-kung aus dem Jahr 1785 unversehens in den Sinn, der dieser Einfachheit keine besondere Bedeutung beimißt: "Sie werden dasjenige, was sie am bequem-sten denken, ... für das Gewisseste und Sicherste halten ..."[73].

Auf andere, recht interessante Probleme führt uns das bereits erwähnte Additivitätsprinzip. "Die Länge von zwei hintereinander liegenden Stäben von 1 Meter Länge beträgt 2 Meter." Diese Aussage des Additivitätsprinzips erscheint derart selbstverständlich, daß man sie beinahe als logische Notwendigkeit einstufen möchte, was sie aber nicht ist. Das Additivitätsprinzip ist stets experimentell sicherzustellen. Es könnte sich ja zum Beispiel herausstellen, daß die Gesamtlänge von der Beschaffenheit der Stäbe abhängt: Auch wenn sie für sich allein betrachtet 1 Meter lang wären, könnten sie hintereinander liegend etwas länger oder etwas kürzer als 2 Meter sein.

Diese Behauptung scheint abwegig zu sein, sie ist es aber nicht, wenn die Stäbe zum Beispiel aus Eisen sind und einer der beiden Stäbe magnetisch ist. Eisen zeigt nämlich den Effekt der Magnetostriktion, was besagt, daß die geometrischen Abmessungen vom Magnetisierungszustand abhängen. Wird der zweite Stab vom ersten beim Hintereinanderlegen aufmagnetisiert, dann ändert der zweite seine Länge. Geringfügig, aber doch.

Auch ist wichtig, darauf hinzuweisen, daß die Gültigkeit des Additivitätsprinzips von dem betrachteten Kombinationsvorgang abhängt: Wenn das Additivitätsprinzip für die Addition von Längen gilt, muß es deswegen nicht auch für die Addition von Gewichtskräften gelten. Es könnte ja sein, daß es zum Beispiel nicht gleichgültig ist, an welcher Stelle man die betreffenden Körper auf die Waagschale legt.

Macht es einen Unterschied, ob 2 Körper auf einer idealen (!) Waage knapp nebeneinander stehen, oder ob zwischen ihnen ein größerer Zwischenraum ist? Verhalten sich extrem kleine Körper genauso wie große Körper? Wir wissen, daß im Mikrokosmos andere Verhältnisse gelten können, als wir sie gewöhnt sind. Voneinander getrennte Elementarteilchen sind schwerer als miteinander verbundene Elementarteilchen. Die Masse, *die da tatsächlich verloren geht*, steckt in der Bindungsenergie, die die Elementarteilchen zusammenhält.

Das Additivitätsprinzip ist in fast allen Bereichen von entscheidender Bedeutung. Wenn Sie zum Beispiel mit 150km/h auf der Autobahn eine Polizeistreife überholen, deren Radargerät eine Differenzgeschwindigkeit von 48km/h registriert, so weiß der Streifenfahrer sofort über ihre Straftat Bescheid: Er selbst ist 102km/h gefahren, das Radar zeigt, daß sie um 48km/h schneller gefahren sind, also waren Sie mit $102 + 48 = 150$ Kilometer pro Stunde unterwegs. Oder wenn ein Schiff auf einem Fluß mit der Geschwindigkeit v_1 fährt und auf dem Schiffsdeck ein Radfahrer mit der Geschwindigkeit v_2 in der gleichen Richtung fährt wie das Schiff, dann wird ein Beobachter, der am Ufer des Flusses steht, feststellen, daß sich der Radfahrer in Relation zum Ufer mit der Geschwindigkeit $v = v_1 + v_2$ bewegt.

Wir wissen, daß sich inzwischen herausgestellt hat, daß das Additivitätsprinzip für Geschwindigkeiten *nicht* gilt: Die Summe zweier sehr schneller Bewegungen ist nicht gleich $v_1 + v_2$, sondern etwas weniger. (Versuchen Sie aber nicht, diesen Sachverhalt dem Streifenfahrer zu erklären.) Es ist bekannt, daß diese Verletzung des Additivitätsprinzips zum Sturz der Newtonschen Physik geführt hat und daß sich im Zug einer wissenschaftlichen Revolution

Einsteins spezielle Relativitätstheorie neu etabliert hat.

Durch die laufende Verwendung von naturwissenschaftlichen Begriffen, die im wissenschaftlichen Sinn noch gar nicht gültig sind, stolpert man in wissenschaftliche Revolutionen hinein, die das komplette Bild der Naturwissenschaft verändern. Das Erstaunen über Einsteins neue Theorie war in der Welt der Wissenschaft deshalb so groß, weil man dort ganz vergessen hatte, daß der überall verwendete Geschwindigkeitsbegriff im wissenschaftlichen Sinn noch gar nicht gültig definiert war! Man hat nämlich das Additivitätsprinzip der Geschwindigkeiten als Selbstverständlichkeit angenommen und war zuletzt verwundert, daß diese Annahme nicht zutraf.

Recht interessant ist auch das Kommensurabilitätsprinzip, welches das Messen überhaupt erst möglich macht. Bei den quantitativen Begriffen haben wir darauf hingewiesen, daß das Messen auf den Prozeß des Zählens zurückgeführt wird. Durch Zählen findet man grundsätzlich nur zu Zahlen mit *endlich* vielen Dezimalstellen.

Der bekannte deutsche Mathematiker und Physiker C. F. Gauß (1777 - 1855) hat diesen Sachverhalt treffend charakterisiert, als er sagte: "Der Mangel an mathematischer Bildung gibt sich durch nichts so auffallend zu erkennen, wie durch maßlose Schärfe im Zahlenrechnen."

Beim Messen, das im Prinzip ein Zählen ist, ergeben sich grundsätzlich nur *rationale Zahlen*. Es sind das Zahlen, die sich durch Brüche mit ganzzahligem

Zähler und Nenner darstellen lassen. (*Irrationale Zahlen* sind dagegen solche, die sich nur durch *unendliche* nichtperiodische Dezimalzahlen darstellen lassen.)

Im Bereich der Wissenschaft dürfen also niemals Zahlenwerte auftreten, die unendlich viele Dezimalstellen aufweisen, wie zum Beispiel

$$\sqrt{2} = 1,41421356237309504880168872420969807856967...$$

oder

$$\pi = 3,14159265358979323849264338327950288419716 9...$$

Dennoch weiß jeder Gymnasiast, daß solche irrationalen Zahlen in der Naturwissenschaft überall vorkommen. Wie kommen sie dort hinein, wo doch nur *Erfahrungswissen* zugelassen ist und die Erfahrung aber nie solche Zahlen produzieren kann? Die Sache klärt sich rasch auf: Man *wünscht* sich schlicht und einfach, daß in der Naturwissenschaft die Euklidische Geometrie gelten möge. Man erkennt somit, daß in der Naturwissenschaft zum Teil Theorien hereinspielen, die nicht aus dem Bereich der Naturwissenschaft selbst stammen! *Die Naturwissenschaft stellt in diesem Sinn eine theoretische Idealisierung dar, die vom Standpunkt des strikten Erfahrungsbezuges nicht gerechtfertigt ist.*

Solche *theoretischen Idealisierungen* bergen natürlich große Gefahren in sich. Es handelt sich hier ja um künstliche "Implantate", wobei man von vornherein nicht wissen kann, ob es hier nicht zu "Abstoßungsreaktionen" kommen wird. Niemand hat nämlich nachgewiesen, daß die theoretische Idealisierung unbedenklich war. Wir wissen aus den letzten Jahrzehnten, daß tatsächlich solche Idealisierungen unzulässig waren: Aus der allgemeinen Relativitätstheorie mußte die Euklidische Geometrie wieder eliminiert werden.

Ein anderes Beispiel einer theoretischen Idealisierung liegt vor, wenn man im Bereich naturwissenschaftlicher Theorien die Stetigkeit und Differenzierbarkeit von Funktionen fordert. Auch hier liegt ein Versuch einer theoretischen Idealisierung per "Implantat" vor. Man *wünscht*, daß die mathematische Analysis gelten möge, damit die Differential- und Integralrechnung auf die Natur anwendbar wird. Es gibt aber durchaus auch Ansätze, hiervon abzuweichen und zu einer diskreten Geometrie und einer diskreten Physik überzugehen. Die erforderlichen Veränderungen wären allerdings gewaltig[74]

Stellen wir uns vor - was aber in Wirklichkeit gar nicht durchführbar ist - wir hätten naturwissenschaftliche Begriffe wissenschaftlich korrekt gebildet und möchten nun gerne mit so einem Begriff *aus der Erfahrung* irgendetwas entnehmen, um ein Gesetz zu überprüfen. Wir wissen, daß das eine sehr wichtige Frage ist, weil sich ja Gesetze *nie* als wahr erweisen können, sondern bestenfalls nur als falsch. Und diese Klippe des Noch-nicht-falsch-Seins versucht der Naturwissenschaftler in seiner Arbeit zu umschiffen. So wie ein Kaufmann, der auf eigenes Risiko ein Geschäft erst dann abschließt, wenn er alle Wenn und Aber bedacht hat, so wird auch der Naturwissenschaftler alle Naturgesetze mit penibler und pedantischer Genauigkeit abzusichern versuchen. Die kleinste Diskrepanz zwischen Messung und Theorie wird als Widerlegung aufzufassen sein.

Die Falsifizierung ist ja der *einzige* Prüfstein der uns zur Verfügung steht. Deshalb nehmen wir sie ja so ernst.

Und da liegt nun eine ganz eigenartige Schwierigkeit vor, von der Sie sich auch selbst sehr leicht überzeugen können. Nehmen Sie doch einen Meterstab zur Hand und messen Sie die Länge eines Fußballfeldes *möglichst genau* ab und notieren Sie das Ergebnis auf einem Blatt Papier. Ersuchen Sie dann auch noch einige anderen Personen, Ihre Messung zu wiederholen und Sie werden feststellen, daß jeder im Prinzip auf ein anderes Ergebnis kommt. Zahlenwerte wie: 104,92m, 105,12m, 104,89m und 104,97m wird man vielleicht erhalten, ohne sagen zu können, welcher Wert jetzt wirklich stimmt.

Dieses Problem der *Meßwert-Streuung* tritt in der Naturwissenschaft bei *jeder* Messung auf. Meßwerte streuen grundsätzlich. Das hat aber jetzt Folgen für die Frage der Falsifizierung von naturwissenschaftlichen Gesetzen und Theorien: Wie wir wissen, genügt *ein einziges* Gegenbeispiel, um eine Theorie umzustoßen. Und diese Konsequenz tritt bei der Messung wegen der Meßwertstreuung im Prinzip regelmäßig auf. *Die Meßwert-Streuung falsifiziert also ununterbrochen jedes Gesetz.*

Es ist klar, daß man mit dieser Erkenntnis nicht leben kann, weil sich damit schlagartig die ganze Naturwissenschaft aufhört. Man muß also anders an dieses Problem herangehen und sagen, daß jedes Ensemble von Meßresultaten statistische Hypothesen liefert, wie der Meßwert tatsächlich aussehen könnte, und eine Auswahl aus diesen statistischen

Hypothesen dient als Basis für die Überprüfung der Gesetze und Theorien[75]. Kurz, man bildet auf verschiedene Arten Mittelwerte (und scheidet gegebenenfalls offensichtliche "Ausreißer" bei den Meßdaten aus). Nicht mehr faktische Meßwerte sind es also, die an die Theorie herangetragen werden, sondern statistische Hypothesen. *Statistische Meßwert-Hypothesen sind die Basis für eine Theorie-Überprüfung. In jede Form empirischer Erfahrung gehen statistische Überlegungen ein. Statistische Aussagen werden also auch in die Modellvorstellungen der Theorie-Elemente und auch in die Theorienetze einfließen.*

Den Leser mag das hier noch nicht beunruhigen, aber ich darf ankündigen, daß das zu kritischen Konsequenzen führen wird. Doch davon später.

Geburt und Tod von Theorien

Die Geschichte der Naturwissenschaft wurde sehr häufig als ein Erfolgsmärchen dargestellt, in dem ein erleuchtetes Genie nach dem anderen durch zwingende Gründe dazu getrieben wurde, den unvermeidlichen Schritt nach vorne zu tun[76]. Es entstand dadurch die Vision, daß die Wissenschaft einen nahtlosen Kumulationsprozeß darstellt, wodurch die Theorien in ihrem historischen Wandel der "Wahrheit" immer näher kämen. Thomas S. Kuhn[77] hat in seinen wissenschaftshistorischen Untersuchungen gezeigt, daß diese Auffassung von der Kumulativität naiv ist. Wissenschaftliche Bilder sind zeitlich begrenzte Gebilde und durchlaufen im Zug ihrer Entwicklung einen vierstufigen Prozeß.

Der erste Abschnitt in der Wissenschaftsentwicklung ist die sogenannte präparadigmatische Phase. Es ist ein außerordentlich mühsamer Weg, den die Forscher in diesem Stadium bewältigen müssen, um zu einem ersten, fest umrissenen Forschungskonsens zu kommen. In dieser Wissenschaftsepoche scheinen nämlich alle Tatsachen und Phänomene in gleicher Weise relevant zu sein und die wissenschaftliche Entwicklung bezieht sich auf die unermeßlich vielen, leicht zugänglichen Daten. Jeder Experimentator hat seine eigenen Ansichten über das Wesen seines Fachbereiches und es werden die einzelnen Phänomene auf unterschiedliche Weise interpretiert. Die präparadigmatische Phase kommt zum Abschluß durch die Ausbildung des sogenannten Paradigmas. Dieses Paradigma legt fest, welche Gesetze und Theorien gelten, welche Lösungsmethoden wissenschaftlich sind und wie ein Phänomen zu sehen ist.

Der zweite Abschnitt in der Wissenschaftsentwicklung ist die normale Wissenschaft. Die normale Wissenschaft ist die im Rahmen des Paradigmas stattfindende, also traditionsgebundene Tätigkeit des "Lösens von Rätseln", die es zu bewältigen gilt.

Der dritte Abschnitt ist durch das Überhandnehmen von offenbar unlösbaren Rätseln und Anomalien gekennzeichnet, wodurch schließlich eine Krise in der Wissenschaft ausgelöst wird.

Der vierte Abschnitt ist die außerordentliche Wissenschaft. Sie ist das traditionszerstörende Gegenstück zur traditionsgebundenen Tätigkeit der normalen Wissenschaft und führt zu wissenschaftlichen Revolutionen. Eine solche wissenschaftliche Revolution bringt eine Verschiebung im Bereich der zulässigen und dadurch sichtbar gemachten Probleme und auch der legitimen Problemlösungsmethoden mit sich. Eine wissenschaftliche Revolution gestaltet also die Welt um, in der die wissenschaftliche Arbeit getan wird.

Wie sehr ungewöhnlich diese Situation selbst für die Forscher ist, bezeugen die Aussprüche von Zeitzeugen: "Es war, wie wenn einem der Boden unter den Füßen weggezogen worden wäre, ohne daß sich irgendwo fester Grund zeigte, auf dem man hätte bauen können", sagt Albert Einstein. "Zur Zeit ist die Physik wieder einmal furchtbar durcheinander. Auf jeden Fall ist sie für mich zu schwierig und ich wünschte, ich wäre Filmschauspieler oder etwas Ähnliches und hätte von der Physik nie etwas gehört", bekennt Wolfgang Pauli einem Freund.

Wissenschaftliche Revolutionen sind ihrem Wesen nach *nicht-kumulativ*. Die Kopernikanische Astronomie ist mit der Ptolemäischen Astronomie unvereinbar; auch die Einsteinsche Theorie ist auf ihrer Ebene unvereinbar mit der Newtonschen Theorie; ähnlich ist es auch bei der Quantentheorie und der klassischen Mechanik. Diese Unvereinbarkeit ist auch unmittelbar verständlich, weil zwischen einem Paradigma, das eine Anomalie zutage fördert, und einem anderen Paradigma, welches diese An-

omalie aus seinen eigenen Gesetzen dagegen ableiten kann, ein logischer Konflikt bestehen muß.[78]

*Wissenschaftliche Revolutionen sind nicht-kumu-
lative Prozesse, die zum Teil neue Begriffe bilden
und das Netzwerk der bisherigen Sicht komplett
verändern können. Von einer Annäherung des
menschlichen Erkennens an das ontologische Ansichsein ist somit bei wissenschaftlichen Revolutionen nicht die Rede. Die Fugenlosigkeit der Naturwissenschaft ist längst als Illusion entlarvt.*

Kann man Erklärungen erklären?

Werfen wir auch einen Blick auf jenes Gebilde, welches man "wissenschaftliche Erklärung" nennt. Eine
wissenschaftliche Erklärung ist - wie wir ausgeführt
haben - eine Antwort auf eine Warum-Frage. Sie
verbindet ein allgemeines Gesetz mit Randbedingungen und zieht daraus eine logische Schlußfolgerung:

Deterministisches Gesetz:
Alle Gegenstände, die leichter als Wasser sind,
   können schwimmen.

Randbedingung:
Dieses Holz ist leichter als Wasser.

Schlußfolgerung:
Dieses Holz kann im Wasser schwimmen.

Wir haben damit eine Antwort auf unsere Frage gefunden, warum dieses Holz schwimmen kann. In diesem Beispiel liegt ein deterministisches Gesetz vor, welches in verallgemeinerter Sprechweise besagt, daß der Zustand Z_1 *immer und unveränderlich* mit dem Zustand Z_2 verknüpft ist. Eine solche Erklärung ist daher eine deterministische wissenschaftliche Erklärung, deren (richtig gezogene) Schlußfolgerung mit logischer Sicherheit gilt.

Wir haben aber mehrfach darauf hingewiesen, daß in der Wissenschaft heute *statistische Gesetze* eine immer größere Bedeutung gewinnen, weshalb wir auch nicht umhin können zu fragen, welchen Einfluß statistische Gesetze auf Erklärungen haben. Nehmen wir an, wir werden mit einem Herrn Rubanov bekanntgemacht, und es bestünden folgende Zusammenhänge:

Statistisches Gesetz:
0,2% aller Russen besitzen einen Mercedes.

Randbedingung:
Rubanov ist Russe

[Es ist fast sicher]
Rubanov *hat keinen* Mercedes.

Diese statistische Argumentation ist vordergründig sehr einleuchtend und wird auch gerne angewendet. (Beispiel: Der GAU eines Atomkraftwerkes ist bloß zu 0,0001 % wahrscheinlich.) Es muß jedoch darauf hingewiesen werden, daß eine solche statistische Argumentation rational nicht akzeptierbar ist. Selbst wenn das statistische Gesetz und die Randbedingung absolut wahr sind, kann nämlich eine rivalisierende statistische Argumentation auftauchen, die genau das Gegenteil, gleichfalls mit höchster Sicherheit (!), behauptet:

97% aller Autohändler der Welt besitzen ein Kraftfahrzeug aus ihrem eigenen Geschäft.

Rubanov ist Mercedes-Händler.

_____

[Es ist fast sicher]

Rubanov *hat einen* Mercedes.

Beiden konträr lautenden Aussagen wird wegen der erwähnten Prozentsätze hohe Sicherheit attestiert. Auf welche Aussage soll man sich verlassen? Der Streit ist lange hin und her gegangen, bis C. G. Hempel seine "Forderung nach maximaler Spezifizierung" aufgestellt hat. Hiernach ist eine statistische Erklärung nur dann rational akzeptierbar, wenn man *alle* statistischen Gesetze und *alle* hiermit verbundenen Sachverhalte einbezieht, die auf die Schlußfolgerung einen Einfluß haben könnten. Alle einschlägigen Informationen, die in der *betreffenden Wissenssituation* enthalten sind, sind mit größter Gewissenhaftigkeit zu berücksichtigen. Der Makel der Mehrdeutigkeit ist dadurch verschwunden, jedoch ist die rationale Erklärung ab jetzt an die betreffende Wissenssituation gebunden, aus der sie entstanden ist. Morgen kann sie anders sein, neue statistische Zusammenhänge können gefunden werden, die die bisherige rationale Erklärung in völlig anderem Licht zeigen. ("Nur zweistellige Millionen-Umsätze machen einen Dienstwagen wahrscheinlich." "Rubanovs Geschäft geht schon seit Jahren sehr schlecht.") Obwohl die dort verwendeten Gesetze und Randbedingungen noch immer wahr (!) sind, muß man von heute auf morgen die bisherige rationale Erklärung verwerfen.

Wir notieren: *Statistische Gesetze sind heute unverzichtbar und führen bei Erklärungen in eine Mehrdeutigkeit, die nur durch sorgfältige Einbeziehung der momentanen Wissenssituation beseitigt werden kann. Die bisher fraglos gültige Kumulativität des Wissens ist damit aber endgültig unterbrochen.*

Was haben wir gesehen? Was haben wir aufgefunden? An *allen* entscheidenden Stellen des naturwissenschaftlichen Gebäudes hat sich die vermeintliche Fugenlosigkeit als Illusion erwiesen. Damit ist nicht gesagt, daß die Naturwissenschaft ab heute ihre Aufgabe in der Gesellschaft nicht mehr erfüllen könnte. Es wird ihr nur eine Priorität vor anderen alternativen Denkmustern abzusprechen sein. Eine Ansicht, die von ernstzunehmenden Wissenschaftern schon oft geäußert wurde[79].

Bemerkungen über die sich selbst stützende Täuschung

Wie kommt es dazu, daß sich die Naturwissenschaft, mit der wir heute leben, in einer so besonders beeindruckenden Stabilität vor unseren Augen präsentiert? Wir sehen, daß die makroskopische Wirklichkeit durch und durch rational strukturiert ist. Jeder Sachverhalt, der naturwissenschaftlich durchleuchtet wird, kann durch eben diese Methode verstanden werden. Überall, bis zu den entferntesten Galaxien, gelten die Naturgesetze und zeigen damit deutlich ihre Allgemeingültigkeit. Und schon vor Jahrmillionen war es genauso. Nicht nur erklären kann man mit der Naturwissenschaft, man kann auch voraussagen und damit technisches Handeln ermöglichen. Technisches Handeln, das durch seine Effizienz noch einmal einen Beweis für die Richtigkeit des Bildes darstellt.

Aber das ist noch nicht alles.

Wir sehen im Zug der Wissenschaftsentwicklung ein Phänomen vor uns, welches uns unzweideutig signalisiert, daß die wissenschaftliche Erkenntnis konvergierende Aussagen macht und sich offenbar der "einen Wahrheit" nähert. Die "Tangente des Fortschritts" der Naturwissenschaft, also jenes Bild, dem sie im Lauf der Jahrzehnte immer näher und näher kommt, das ist doch das endgültige Bild der Struktur des Seins! Dieses zukünftige endgültige

Bild der Naturwissenschaft ist gleichsam ein autorisierter Abdruck des "Dings an sich", welches unseren leiblichen Augen stets verborgen bleibt. Das kann doch nicht bloß eine Täuschung sein!

Der aufmerksame Leser weiß bereits, was auf diesen verständlichen, aber dennoch oberflächlichen Einwurf zu antworten ist: Die Naturwissenschaft ist ein methodenabhängiges Bild, und wenn man die Methode nicht ändert, dann ändert sich auch das Bild nicht. Immer wenn Sie sich an die Strickanleitung für Norweger-Pullover halten, erhalten Sie Norweger-Pullover.

Wir leben heute in einer Zeit, in der, um mit Thomas Kuhn zu sprechen, die "normale Wissenschaft" vorherrscht. Die "präparadigmatische Phase" ist vorbei und "wissenschaftliche Revolutionen" sind dem Publikum nicht sichtbar. Nur ein einziges Paradigma gilt, und man kann nur auf eine *einzige* Art etwas wissen. Könnte man auf *zwei* Arten - unterschiedliche Arten! - etwas wissen, dann hätte man zwei Möglichkeiten naturwissenschaftliche Sachverhalte auszulegen und man stünde vor einer Sprungstelle des Fortschritts, man stünde vor einer wissenschaftlichen Revolution. Davon später mehr.

Immer wieder hört man die wissenschaftlich gemeinte Behauptung: "Die Materie ist die Basis des Seins." Oder etwas fundierter formuliert sagt man oft, daß man durch naturwissenschaftliche Bemühungen jenes Etwas, das unabhängig von einem Erkennen für sich besteht, immer besser und besser abbilden könne. Wenn diese Behauptung bloß ein subjektives Meinen ist, welches auf mystizistische

Weise gewonnen wurde, dann kann man mit einem Achselzucken darüber hinweggehen. Wenn diese Behauptung aber naturwissenschaftlich gemeint ist, dann muß man sie ablehnen und verwerfen. Dieser Satz behauptet nämlich etwas grundsätzlich Nicht-falsifizierbares und ist damit, wie wir wissen, kein Satz der Naturwissenschaft und sagt in diesem Sinn nichts aus. Wie könnte man denn auf naturwissenschaftliche Weise feststellen, wie weit der Annäherungsprozeß schon gediehen ist? Da müßte man doch "dieses Etwas" auch noch auf eine andere direkte Art anschauen können, um dann die besser werdende Abbildung bestätigen zu können. "Dieses Etwas" ist eine nicht-naturwissenschaftliche, weil grundsätzlich vor-naturwissenschaftliche Entität. Wie kann ein Satz überprüfbar sein, in dem ein nicht-naturwissenschaftlicher Begriff vorkommt? Ein solcher Satz enthält doch dann einen grundsätzlich unbestimmten Ausdruck. Die oben genannte Behauptung, nach der "dieses Etwas" durch naturwissenschaftliche Bemühungen immer besser und besser abgebildet werden könne, ist also zu verwerfen.

Ungern wird man dem eben Gesagten zustimmen, weil man doch mit eigenen Augen verfolgen kann, daß die Wissenschaft durch eine Konvergenz ihres Fortschrittes ausgezeichnet ist. Die Verfeinerung des wissenschaftlichen Bildes führt im Zug des wissenschaftlichen Fortschrittes zu konvergierenden Aussagen, es zeigt sich eine Annäherung, ein Zusammenlaufen, ein Zustreben zu einem offenbar vorhandenen Grenzwert, einem Zielpunkt. Das naturwissenschaftliche Bild wird immer genauer und nähert sich durch Versuch und Irrtum also immer mehr und mehr diesem unbekannten "Etwas" und erfaßt es - so hofft man - schließlich im Grenzwert.

Diese Idee wirkt sicher sehr plausibel, sie ist aber äußerst fragwürdig, denn der Fortschritt der Wissenschaft ist bloß eine Verbesserung des wissenschaftlichen Wissens in einem instrumentellen Sinn. Eine ontologische Konvergenz kann theorienimmanent *nie* festgestellt werden.

Lassen Sie mich dazu ein Beispiel geben: Wenn man Planeten über mehrere Wochen hin beobachtet, dann bemerkt man, daß sie sich in Relation zum Fixsternhintergrund bewegen, eine eigenartige Schleife durchlaufen und dabei sogar eine rückläufige Bewegung ausführen. Im antiken Himmelsbild hat man diese schleifenförmige Bewegung schon lange vor Ptolemäus als "Epizykel" erklärt. Ein Epizykel ist eine Kurve, die ein auf einem Kreis liegender Punkt - der Planet - beschreibt, wenn der Kreis auf einem anderen Kreis abrollt. Man kennt die einschlägigen Kupferstiche, die den Himmel als kompliziertes Räderwerk darstellen.

Natürlich haben die tatsächlichen Planetenbeobachtungen mit dieser Theorie nicht sehr gut übereingestimmt. Im Lauf der Jahrhunderte hat man aber doch einige Fortschritte gemacht, indem man kleine Epizykel hinzugefügt hat, die den Unterschied zwischen Theorie und Beobachtung immer besser ausgeglichen haben. Systeme mit einem Dutzend solcher Epizykel waren schließlich bekannt und es konnte durch geeignete Wahl von Größe und Ge-

114

schwindigkeit der kleinen Epizykel fast jede Unregelmäßigkeit erklärt werden.

Das ptolemäische Himmelsbild ist also *immer genauer* geworden und ptolemäische Astronomen haben hierin sicher *eine glänzende Bestätigung* ihrer geozentrischen Ansicht gesehen und darin "eine Annäherung an die Wahrheit" erblickt. Wir allerdings, die wir dem kopernikanischen System verhaftet sind und nicht die Erde als ruhenden Himmelskörper im Zentrum des Systems betrachten, sehen das sicher nicht so: Der Fortschritt der ptolemäischen Wissenschaft war, so sagen wir, bloß eine Verbesserung des wissenschaftlichen Wissens in einem *instrumentellen Sinn*.

Wir leben, wie gesagt, in einer Zeit normaler Wissenschaft, in der sich ein naturwissenschaftliches Bild aufbaut, das durch besondere Stabilität gekennzeichnet ist. Jeder Sachverhalt, der naturwissenschaftlich durchleuchtet wird, kann durch eben diese naturwissenschaftliche Methode verstanden werden. Die Stabilität dieses Gedankengebäudes ist beeindruckend und verleitet manchmal dazu zu glauben, daß dieses Bild deshalb die eine und einzig wahre Sicht der Dinge ist. Warum ist das so? Beim zweiten Mal Hinsehen fällt aber natürlich dann auf, daß das wohl mit der verwendeten Methodik zusammenhängt: Die Methodik, die von der Anschauung zum naturwissenschaftlichen Bild führt, wird ja *unverändert* beibehalten. Begriffe, Gesetze und Erklärungen bilden einen Mechanismus, der in genau vorgegebener Weise Beobachtbares aufgreift, verarbeitet und verknüpft und dadurch stets zu *gleichen* Ergebnissen kommt: *Die Stabilität des naturwissenschaftlichen Bildes ist eine Folge der von uns bewußt eingehaltenen Methodenkonstanz.*

Daß das Bild, das die Naturwissenschaft entwirft, rational strukturiert ist, sollte uns jetzt auch nicht mehr überraschen. Rational strukturiert meint vernunftgemäß strukturiert und meint vielleicht auch logisch, den Denkgesetzen gemäß oder auf den Gesetzen und Axiomen der Mathematik, sowie der Geometrie beruhend. Logische und mathematische Axiome sind Sätze, die nicht bewiesen werden können, die man aber auch nicht zu beweisen braucht, da diese Sätze unmittelbar *als richtig einleuchten.* Aus diesem Grund verwendet man sie auch als apriorisches Werkzeug für das weitere Denken und gewinnt in der Naturwissenschaft durch die besondere Begriffs-Gesetz-Erklärungs-Methodik das dieser Methodik zugeordnete Bild. Es sollte demnach nicht erstaunlich sein, daß dieses Bild rationale Züge trägt; sie stammen von uns selbst. *Wir selbst spiegeln uns in unserem Bild.*

Selbstverständlich gibt es keine Garantie, daß das von der Naturwissenschaft konzipierte Bild immer mit den Phänomenen vollständig in Übereinstimmung gebracht werden kann. Vor allem dann sind Schwierigkeiten zu erwarten, wenn wir die Bereiche unserer täglichen Erfahrung verlassen. Garantie gibt es, wie gesagt, keine. Im äußersten Notfall - aber wirklich nur dann! - hat man aber auch die Möglichkeit, die logischen Regeln und Grundsätze, die dem betreffenden Bild zugrundeliegen, den Erfordernissen anzupassen. "Den Erfordernissen anpassen" heißt, den Unterschied zwischen Bild und Phänomenen auf diese Art zum Verschwinden zu bringen. In der allgemeinen Relativitätstheorie geht man von der euklidischen Geometrie aus diesem Grund zur nicht-euklidischen Geometrie über.

Selbstverständlich ist diese angepaßte Logik *dann nicht mehr unmittelbar einleuchtend.* Es wird da eine Gewöhnungszeit verstreichen müssen. Aber auch hier wäre es voreilig zu meinen, daß die nunmehr angepaßte Logik die "wahre" Logik sei. Sie ist bloß im Zusammenhang mit der vorliegenden Begriffs-Theorie-Erklärungs-Methodik eher zielführend als die alte Logik.

Kurz gesagt, wird gegebenenfalls mit Hilfe einer "angepaßten und modifizierten" Logik L_1 und einer Begriffs-Gesetz-Erklärungs-Methode M_1 ein Bild B_1 erzeugt, welches die beobachteten Phänomene gut beschreibt. Eine *andere* Begriffs-Gesetz-Erklärungs-Methode M_2 hätte aber vielleicht eine *anders* "angepaßte und modifizierte" Logik L_2 gebraucht, um das Bild B_2 an die beobachteten Phänomene anzugleichen.

Die Illusion und Täuschung ist also perfekt: *Wir stehen - naiv, gutgläubig und hoffnungsfroh wie wir nun einmal sind - vor einer festgefügten Wirklichkeit, vor einer festgefügten Realität, die rational strukturiert ist, die einer Naturgesetzlichkeit unterworfen ist, sich in Raum und Zeit ausbreitet, auf einem Materie-Energie-Substrat beruht und Phänomene zeigt, die dem naturwissenschaftlichen Begriffsrepertoire zugänglich sind.* Der Rest, der sich der naturwissenschaftlichen Methode entzieht, verbleibt unstrukturiert und ist dadurch bis auf weiteres nicht sichtbar. Verzichtbar ist dieser Rest aber nicht!

Hierzu soll später noch einiges gesagt werden.

Das Kaleidoskop

Wer hat nicht als Kind gerne durch jenes fernrohrähnliche Spielzeug geblickt, bei dem sich beim Drehen bunte Glassteinchen zu verschiedenen symmetrischen und ebenmäßigen Mustern und Bildern angeordnet haben? Schon eine kleine Erschütterung hat das alte Bild aufgelöst, und neue symmetrisch angeordnete Quadrate und Dreiecke, Sterne und zentrische Konglomerate und Vielecke sind entstanden. Jedes Drehen, jedes Kippen und jedes Klopfen und Schütteln haben immer Neues hervorgebracht, bunt, symmetrisch und erstaunlich. Gerne hat man das Rohr auch vorsichtig seinem Freund gereicht, damit auch er das bewundern kann, was sich da zeigt; wie leicht hat sich alles wieder verschoben.

Solch ein buntes Kaleidoskop-Bild ist das Bild der Naturwissenschaft, das in seiner unendlichen Vielfalt und seiner hohen Symmetrie uns in Erstaunen versetzt. Anstelle der gewinkelten Spiegel, die im Kaleidoskop angeordnet sind, sind es das A-priori und die fein strukturierte Methode des Wissens, welche die "bunten Steine" der Anschauungselemente zum Bild formen, das uns zuletzt vor Augen steht. Kann man aber auch beim naturwissen-

118

schaftlichen Bild zu anderen Figuren und Denkmustern kommen, wenn man das "Guckrohr" erschüttert und dreht? Es ist hochinteressant - so etwas ist wirklich möglich!

Ein Beispiel dafür ist der Übergang von der Aristotelischen Mechanik zur Newtonschen Mechanik. Zwei vollkommen verschiedene Theorien sind es, die sich hier gegenüber stehen und hierdurch auch unterschiedliche Phänomene aufgreifen, beschreiben und sichtbar machen. Auch wenn Aristoteles seine Mechanik nicht in Formelschreibweise festgelegt hat, kann sein Bewegungsgesetz durch die Beziehung

Geschwindigkeit = Antrieb / Last

ausgesprochen werden.[80] Je größer die Antriebskraft ist, desto größer ist die Geschwindigkeit; je größer die Last ist, desto kleiner ist die Geschwindigkeit. Durch das Aristotelische Bewegungsgestz werden also jene Fälle aufgegriffen, in denen eine Last auf einer rauhen Unterlage geschoben oder geschleppt wird. Ein Anwendungskreis also, der der täglichen Erfahrung, dem Augenschein und der Praxis sehr nahe steht.

Um nahezu reibungsfreie Fälle (Wurfbewegung etc.) beschreiben zu können, mußten zusätzliche Hilfshypothesen eingeführt werden.

Die Newtonsche Mechanik stellt dagegen ein ganz anderes Bewegungsgesetz ins Zentrum der Betrachtung, nämlich die Beziehung "Kraft ist Masse mal Beschleunigung" oder, in der Reihenfolge des Aristotelischen Bewegungsgesetzes geschrieben,

Beschleunigung = Kraft / Masse.

Hier wurde anstelle Antrieb der Ausdruck Kraft und anstelle Last der Ausdruck Masse gebraucht. Da ist kein großer Unterschied zu bemerken. Der Unterschied kommt jetzt: Der Quotient Antrieb/Last beziehungsweise Kraft/Masse soll das eine Mal (Aristotelische Mechanik) zur *Geschwindigkeit* proportional sein und das andere Mal (Newtonsche Mechanik) zur *Beschleunigung,* also zur *Änderung* der Geschwindigkeit. Es leuchtet unmittelbar ein, daß dieses *völlig andere* Gesetz einen *ganz anderen Anwendungskreis* aufgreift. Hier ist nämlich die reibungsfreie Bewegung von Massen gemeint, wie man sie eigentlich nur im Vakuum bei idealisierten Verhältnissen beobachten kann. Nach diesem Gesetz ist eine Kraft in der Lage, eine Masse konstant zu beschleunigen, wodurch die Geschwindigkeit immer mehr zunimmt, bis sie zuletzt unendlich groß ist. Der vom Newtonschen Gesetz gemeinte Anwendungskreis liegt dem Augenschein und der täglichen Erfahrung eher fern. Bei jeder praktischen Anwendung tritt ja Reibung auf; nirgends ist unbegrenztes Wachstum der Geschwindigkeit zu beobachten.

Um den reibungsbehafteten Fall besprechen zu können, müssen in der Newtonschen Mechanik zusätzliche Hilfshypothesen eingeführt werden: Es muß eine Reibungskraft, die proportional zur Geschwindigkeit angenommen wird, als Hilfshypothese eingeführt werden, die entgegengesetzt zur Kraft wirkt. Im stationären Fall ergibt sich eine Beziehung, die dem Aristotelischen Bewegungsgesetz entspricht. Der gewählte Reibungsansatz ist allerdings nicht in allen Fällen zutreffend.[81]

Ein anderes Beispiel unterschiedlicher Kaleidoskopbilder stammt aus der Astronomie. Wir müssen zu diesem Zweck ins 16. Jahrhundert zurückgehen, in die Zeit von Kopernikus, zur Schnittstelle also, die das geozentrische vom heliozentrischen Weltbild trennt. Tausendfünfhundert Jahre vor ihm hat Claudius Ptolemäus gelebt, ein alexandrinischer Astronom, Geograph und Mathematiker. Er galt als der letzte große Naturwissenschafter der Antike und hat die Ergebnisse alter astronomischer Forschungen in seinem Hauptwerk Almagest zusammengefaßt.

Im ptolemäischen Weltsystem ruht eine kleine kugelförmige Erde im Mittelpunkt einer riesigen Kugel, die die Sterne trägt. Diese Sternkugel dreht sich um ihre Drehachse in westlicher Richtung. Auch die Sonne wird dadurch mitbewegt, wenngleich sie sich geringfügig (auf der "Ekliptik") gegen die Sterne (in östlicher Richtung) verschiebt. Systematische Experimente und Messungen, die zu diesem Bild geführt haben, gehen auf die Babylonier und Ägypter zurück (2000 v. Chr.), die hierfür ein eigenes Instrument, den Gnomon, verwendet haben. Die Nordrichtung, die Tageslänge, die Jahreslänge, der genaue Zeitpunkt der Frühlings- und Herbst- Tag- und Nachtgleiche konnten damit registriert werden.

Umfangreiche Beobachtungen über die Bewegung der Sterne, ihre Bahnen und ihre Umlaufzeiten, ihre Veränderung der Lage, wenn man weite Reisen unternimmt, die komplexe Bewegung der Sonne während des Jahreslaufes und auch die ganz eigenartigen Schleifenbahnen der Planeten wurden seit Jahrhunderten sorgfältig dokumentiert und in dieses wissenschaftliche Gesamtbild des ptolemäischen Systems eingebracht. Eine Unzahl wissenschaftlicher Beobachtungsdaten hat dieses geozentrische Weltbild, das in mehr als 3000 Jahren entstanden ist, gestützt. (Gewisse Ungenauigkeiten sind zwar immer wieder bemerkt worden, aber das ist wohl bei jeder Theorie so.)

Und jetzt geschieht das Umspringen des Kaleidoskop-Bildes!

Die umfangreichen Beobachtungen und Messungen, die im Lauf von Jahrtausenden gewonnen wurden und zum ptolemäischen System geführt haben, die gleichen Beobachtungen und Messungen haben nach einer Uminterpretation durch Kopernikus ein völlig anderes Weltbild *ebenso überzeugend* gestützt wie das vorhergehende. Das neue heliozentrische Weltbild sieht die Sonne im Zentrum und die Erde und die Planeten umrunden in kreisähnlichen Bahnen das Zentralgestirn. (Gewisse Ungenauigkeiten sind natürlich auch hier bemerkt worden, aber das ist wohl bei jeder Theorie so.) Was wir hier vor Augen haben, ist also ein anderes Beispiel einer wissenschaftlichen Revolution, ein kaleidoskopartiges Umspringen des Bildes: Die gleichen bunten Steinchen sind es, die ein neues Muster ergeben. Dieses Phänomen ist in der wissenschaftlichen Literatur ausführlich analysiert worden[82].

Ein drittes Beispiel eines kaleidoskopischen Bilderwechsels ist besonders interessant, weil hier die beiden unterschiedlichen Bilder nach Belieben immer wieder erzeugt und angeschaut werden können. Hier liegt also ein anderer Fall vor als vorhin, denn das ptolemäische Bild ist ja inzwischen nur mehr aus dem Geschichtsunterricht bekannt und nicht mehr von wissenschaftlicher Bedeutung. Die wissenschaftlichen Arbeiten, die am kopernikanischen Bild aufbauen, sind über das ptolemäische Bild längst hinweggegangen.

Die hier im dritten Beispiel gemeinten umspringenden Doppelbilder sind die Newtonsche Mechanik und die Einsteinsche Relativitätstheorie. Wir haben bereits betont, daß es sich hier um eine echte wissenschaftliche Revolution handelt, die (trotz der oft erwähnten erzwungenen Gleichheit der Rechenergebnisse für kleine Geschwindigkeiten) prinzipiell verschiedene Bilder zeigt, die miteinander in Konflikt stehen. Einstein hat seine Relativitätstheorie entwickelt, indem er Erfahrungstatsachen, die in der klassischen Physik als anomal erscheinen, zum Prinzip und zum Ausgangspunkt seines Argumentierens erhoben hat und die daraus folgenden Konsequenzen abgeleitet hat.

Ausgangspunkt der Einsteinschen Überlegungen[83] war das *Relativitätsprinzip*: Von "absoluten Bewegungen" zu sprechen hat keinen Sinn, weil man sie experimentell nicht feststellen kann (keine Falsifizierbarkeit!). Wir können durch keine Messung feststellen, ob sich ein abgeschlossenes System (Schiffskabine bei ruhiger See) gleichförmig bewegt oder nicht. Es hat nur einen Sinn von Relativbewegungen der Körper zueinander zu sprechen.

Der zweite Grundpfeiler von Einsteins Überlegungen war eine andere experimentelle Tatsache, die *Konstanz der Lichtgeschwindigkeit*. Die Lichtgeschwindigkeit hat im Vakuum stets den Wert c = 300.000km/s und ist völlig unabhängig vom Bewegungszustand der Lichtquelle. Das ist verblüffend: In *jedem* Bezugssystem, egal wie schnell es sich gleichförmig bewegt, mißt man als Lichtgeschwindigkeit immer den genannten Wert c. Man kann also auch dem Lichtstrahl nicht davonlaufen, immer mißt man c. Verbindet man diese beiden zum Prinzip erhobenen Aussagen, so folgen daraus die Maßstabsverkürzung für Längen und Zeiten, die Änderung der Masse mit der Geschwindigkeit und die Identität von Masse und Energie (Atombombe!). Diese theoretischen Ergebnisse der sogenannten speziellen Relativitätstheorie sind mittlerweile beobachtbar und als Erfahrungstatsache einzustufen (Hiroshima).

Einsteins Überlegungen sind aber über die spezielle Relativitätstheorie noch weit hinausgegangen, indem er eine weitere Erfahrungstatsache, die bisher kaum beachtet wurde, zum Prinzip erhoben hat: Die Gleichheit von träger und schwerer Masse. Ein Schwerkraftfeld ist hiernach hinsichtlich aller physikalischen Eigenschaften vollkommen gleichartig einem Trägheitsfeld, das durch eine konstante Beschleunigung hervorgerufen wird. Hieraus folgt die Krümmung von Lichtstrahlen im Schwerefeld und die Raumkrümmung (Einführung der nichteuklidischen Geometrie), die Endlichkeit der Welt, die Perihelbewegung des Merkur und die Rotverschiebung der Spektrallinien zufolge starker Gravitationsfelder.

Sowohl die Newtonsche Mechanik als auch die Einsteinsche Relativitätstheorie werden nebeneinander verwendet, obwohl sie miteinander in Konflikt stehen und eine andere Welt zeigen. Ein Elektroingenieur, der eine Lokomotive entwickelt, wird mit gutem Gewissen die Newtonsche Mechanik verwenden. Wenn er es jedoch mit schnell bewegten Elektronen in Vakuumröhren für Kurzwellensender zu tun hat, muß er das Bild der Relativitätstheorie heranziehen, denn für derart rasch bewegte Elektronen wirken sich bereits die Maßstabsveränderungen der Längendimension aus.

Noch einmal ein ganz anders gearteter Fall kaleidoskopischer Vielfalt ist die Situation, die ein Objekt verändert, je nach dem, wie man es anfaßt. Man beachte, hier wird nicht im Stil einer wissenschaftlichen Revolution ein ganzes Weltbild A durch ein Weltbild B ersetzt und man sieht plötzlich alles anders. Hier ist von einem stabilen, handfesten Weltbild die Rede, in dem ein Objekt existiert, das sich verwandeln kann, je nachdem, auf welche Weise man mit ihm experimentiert. Es ist der Welle-Teilchen-Dualismus gemeint. Beim Welle-Teilchen-Dualismus verhält sich ein und dasselbe Teilchen (zum Beispiel ein Elektron) *je nach Versuchsanordnung* und *je nach Beobachtungsart* einmal wie ein korpuskelhaftes Teilchen und ein andermal wie eine Welle.

Beim vorhergehenden Beispiel hat man auf unterschiedlich experimentelle Art ein und dasselbe Objekt aufgegriffen und hat dabei verschiedene Gegenstände "im Netz" gefangen. Es ist erstaunlich, daß es sogar eine noch subtilere Art gibt, die ein kaleidoskopisches Doppelbild auslöst. Es gelingt das deshalb, weil in unserem (mathematischen) Denken - genauer gesagt in der Theorie der Vektorfelder - zwei äquivalente Auffassungen vorkommen, wie ein und derselbe Sachverhalt gesehen werden kann. Die praktische Folge dieser logischen Äquivalenz ist die, daß man zwei Vorstellungen hat, wie man die magnetisierte Materie deuten kann. Es steht einem völlig frei, ob man die eine oder die andere Vorstellung des Magnetismus verwenden will, es steht einem frei, ob man die Mengentheorie oder die Elementarstromtheorie verwendet. Beide Theorien sagen in ihrer Essenz etwas völlig Verschiedenes aus, im Bereich experimentell erfaßbarer Fakten jedoch sind sie ununterscheidbar, da identisch.[84]

Wir haben bei dieser Magnetismustheorie also einen Wissenschaftsfortschritt vor uns, der sich gabelt: Die eine Theorie beschreibt die magnetisierte Materie durch magnetische Mengen (Nord- und Südpol), die andere durch Elementarströme (die an den Mantelflächen des Magnetstabes fließen). Eine (normal-wissenschaftliche) Fortschrittsverzweigung ist das also, die ihre Ursache im logischen Unterbau der Wissens-Methode hat.

In der Literatur zum Ferromagnetismus sind beide Fortschrittszweige ausgebaut und in wissenschaftlichen Monographien[85] dargestellt worden. Fortschrittsverzweigungen sind keine häufige Erscheinung und es geschieht daher leicht, daß man

126

die beiden Bilder ineinander fließen läßt. Auch hervorragenden Wissenschaftlern[86] ist das passiert, wodurch Fehlauffassungen unvermeidlich waren, die von anderen Forschern[87] wieder korrigiert werden mußten.

Ich glaube, es erübrigt sich, weitere Detail-Beispiele anzuführen; immer wieder blitzen sie in heftigen Diskussionen auf. Der langjährige Streit etwa, ob Homöopathie, Akupunktur und Heilverfahren anderer Kulturen im System der Schulmedizin "anerkannt" werden sollten oder nicht, wirkt, vor diesem Hintergrund gesehen, milde gesagt seltsam. Diese Bilder stehen eben *nebeneinander*, ohne daß sie zu vereinen wären, oder "anerkannt" werden müßten. Es ist doch schön, daß sie wirken und dem Menschen helfen. Das genügt wohl. Auch in der Physik stehen ganz grundsätzliche und umfassende Bilder (wie zum Beispiel die allgemeine Relativitätstheorie und die Quantenphysik) nebeneinander, ohne daß man sie vereinigen könnte.

Aber nicht nur im Kleinen, sondern auch im Großen hat es sich als eine Illusion erwiesen, daß die naturwissenschaftliche Sicht ein einheitliches Gedankengebäude darstellt. Gerne hat man sich nämlich gedacht, daß die einzelnen Wissenschaften aufeinander aufbauen und daß sie sich alle zuletzt auf die Physik reduzieren lassen. Man hoffte beispielsweise die Soziologie auf die Psychologie, die Psychologie auf die Physiologie, die Physiologie auf die Chemie und die Chemie schließlich auf die Physik reduzieren zu können. Diese These von der "Einheit der Wissenschaft" wurde seit langem praktisch aufgegeben. Faktisch ist nicht einmal eine Reduktion der Chemie auf die Physik geglückt[88].

Die kaleidoskopartige Struktur mit ihrer Rissigkeit hat also nicht bloß die Einzelwissenschaften erfaßt, sondern sie erstreckt sich auch über das gesamte Gebäude der Naturwissenschaft.

Unerklärbare Phänomene:
Zum Beispiel Psi

Unerklärbare Phänomene waren für die Naturwissenschaft schon immer ein starker Antrieb für die Forschung. Sie haben oft zu Innovationsschüben und wissenschaftlichen Revolutionen geführt. Diese auslösenden, unerklärlichen Phänomene haben "naturwissenschaftliche Rätsel" aufgegeben, die an sich dem naturwissenschaftlichen Paradigma genügen müßten, sich aber dennoch aus zunächst unerfindlichen Gründen in hartnäckiger Weise widersetzt haben. Nach mehr oder minder langwierigen Anläufen hat man in den meisten Fällen Lösungsansätze gesehen, die zuletzt zu einer kompletten Umstülpung des naturwissenschaftlichen Bildes geführt haben. Solche "Mutationen" werden als Höhepunkte des wissenschaftlichen Fortschritts aufgefaßt, weshalb auch jeder Naturwissenschaftler anscheinend unerklärbaren Phänomenen mit Eifer nachgeht, weil hier wissenschaftliche Auszeichnungen zu erwarten sind.

Da gibt es aber auch noch andere unerklärbare Phänomene.

Diese sind so grundlegend verschieden von den naturwissenschaftlichen, daß sie von vornherein suspekt und verdächtig sind und von der scientific community praktisch tabuisiert wurden.

Ich denke hier an *Psi-Phänomene*[89].

Bekanntlich wogt der Streit hin und her, ob es solche Phänomene überhaupt gibt. Die einen sagen, daß nur kritiklose Narren an so etwas glauben können, die anderen weisen darauf hin, daß angesehene Naturwissenschaftler, wie Madame Curie, Rayleigh und J. J. Thomson, sich sehr intensiv mit solchen Fragen beschäftigt haben und solchen Phänomenen in ihrer Forschung nachgegangen sind.

Psi-Phänomene gliedert man im Rahmen eines empirisch-wissenschaftlichen Bildes formal in zwei Hauptgruppen: in Phänomene "außersinnlicher Wahrnehmung" und in Phänomene der "Psychokinese".

Außersinnliche Wahrnehmung meint Wahrnehmungen, die außerhalb der uns bekannten Sinnesorgane stattfinden: *Die Telepathie* zielt dabei auf eine Übertragung von Gedanken, Bildern oder Gefühlen von einem Menschen auf den anderen. *Hellsehen* ist dagegen ein Wahrnehmen von Tatsachen, die niemandem bekannt sind. *Präkognition* ist in die Zukunft gerichtet. Hier ist ein Vorauswissen gemeint, welches wissenschaftliche Voraussagen übersteigt. Außersinnliche Wahrnehmungen sind also Wahrnehmungen, die *nicht* durch naturwissenschaftlich verstehbare Mechanismen vermittelt werden. (Telepathie per Draht nennt man daher besser Telephonie.)

Unter *Psychokinese* faßt man die wissenschaftlich aufregendsten Phänomene zusammen. Hier ist ein sozusagen direktes Einwirken einer menschlichen oder tierischen Psyche auf materielle Objekte zu verstehen, ohne daß naturwissenschaftlich verstehbare Mechanismen diese Wirkung hervorrufen. Kurz, hier sind die diversen Tischerlrückereignisse zu subsumieren.

Das Verhältnis der Parapsychologie zur Naturwissenschaft ist zum Teil recht grotesk und erinnert an einen verschmähten Liebhaber: Der Parapsychologe faßt sein Arbeitsgebiet als naturwissenschaftliches Grenzland auf und die Naturwissenschaft will nichts davon wissen und verschließt am liebsten schamhaft ihre Augen sogar vor den Phänomenen: "Weil nicht sein kann, was nicht sein darf."

Die Groteske geht aber noch weiter: Nehmen wir an, die Telepathie wird von unserem Parapsychologen als eine besondere Wellenbewegung irgendwelcher Vektorfelder entlarvt. In der gleichen Sekunde ist die Telepathie in den Wissensbereich der Naturwissenschaft eingemeindet - da naturwissenschaftlich verstehbar - und der Parapsychologe steht schon wieder ohne Blumen vor seiner geliebten Naturwissenschaft. Frustrierend!

Die Parapsychologie will sich als Naturwissenschaft verstehen und will gleichzeitig Phänomene untersuchen, die grundsätzlich *jenseits* der Naturwissenschaft liegen. Man sieht, das kann eigentlich nicht gut gehen! Aber das müssen sich die beiden wohl selbst ausmachen. Wahrscheinlich ist die Parapsychologie mit ihren Psi-Phänomenen überhaupt ein eigenes und unabhängiges Bild und muß sich endlich abnabeln.

Das Publikum wird über das Geschrei staunen, welches dann von Seiten der Naturwissenschaft erhoben wird. "Jetzt zeigt die Parapsychologie ihr wahres Gesicht! - Sie ist gar keine Wissenschaft. - Jetzt gibt sie es zu!" Also noch einmal ein unerwarteter Höhepunkt in unserem Grotesktanz.

Die Einteilung der Psi-Phänomene in Telepathie, Hellsehen, Präkognition und Psychokinese ist ja recht nett, aber eigentlich so typisch naturwissenschaftlich-trocken, unfruchtbar und nichtssagend. Parapsychologische Phänomene sind ja von ganz anderer Art, sie sind in ihrer Grundstruktur komplex und eigenartig ungreifbar.

Wenn die einzelnen Berichte über Psi-Phänomene nicht alle von Betrügern oder kritiklosen Gaffern verfaßt wurden, dann muß man sie wohl als *Wirklichkeiten* einstufen: Sie haben ge*wirkt*, zumindest auf die damals anwesenden Beobachter und Zeugen und dadurch waren diese Phänomene sogar *intersubjektive* Wirklichkeiten, also gewissermaßen eine Realität. Ob es dagegen sogar *reproduzierbare* Wirklichkeiten waren, bleibt weitgehend ungewiß. Aber es ist ja so manches nicht reproduzierbar. Sogar in der Naturwissenschaft.

Parapsychologische Phänomene reichen weit in die Geschichte zurück und eine nicht abreißende Kette unglaublicher Berichte ist uns bekant: So hat der Philosoph Apollonius von Thyana (2 bis 97 n. Chr.), der mit seinen Hörern und Studenten in einem Hain zu Ephesus wandelte, einst nach kurzer

Geistesabwesenheit plötzlich verkündet: "Eben ist der Tyrann Domitian erdolcht worden." So war es.

Im Sommer des Jahres 1571 ist die venezianisch-spanische Flotte ausgelaufen, um die Übermacht des türkischen Reiches samt seinem "Unglauben" einzudämmen. Niemand konnte wissen, ob es gelingen wird. Am 7. Oktober 1571 war Papst Pius V. mit seinem Schatzmeister Busotti in ein Gespräch vertieft, als Pius nach einem kurzen Zustand geistiger Abwesenheit plötzlich sagte, daß in diesem Augenblick die türkische Flotte bei Lepanto vernichtend geschlagen werde. Erst viel später kam über Venedig die definitive Nachricht, daß zu diesem oben erwähnten Zeitpunkt die Türken 130 Schiffe verloren und 30.000 Tote und Gefangene zu beklagen hatten.

Mit Staunen liest man auch den Bericht des Philosophen Kant, daß Swedenborg auf unerklärliche Weise den weit entfernten Brand Stockholms vor sich gesehen hat.

Und fast jeder kennt aus seinem eigenen Bekanntenkreis Berichte über Wahrträume und ähnliche Erscheinungen.

Seit der Antike gibt es aber auch noch eine ganz eigenartige Form parapsychologischer Ereignisse, die in besonderem Maß die Menschen schockiert haben: Es sind das die Spuk- und Poltergeistphänomene.[90]

Es ist ganz seltsam, daß diese Phänomene über Hunderte Jahre hinweg hinsichtlich ihrer Struktur eine bemerkenswerte Gleichförmigkeit zeigen. Diese "Spukmuster", diese "Patterns" zeigen auch in unterschiedlichen Kulturkreisen immer wieder gewisse Gemeinsamkeiten. Man fragt sich, wie es über Raum und Zeit zu solchen Gemeinsamkeiten kommen kann?

○ Häuser sind oft das Ziel von Wurfgeschoßen. Steine fallen auf das Dach. Steine zerbrechen Fensterscheiben oder dringen durch Öffnungen (Luftschächte, Installationskanäle) in das Hausinnere ein.

○ Schläge und Klopfgeräusche machen sich an Türen und Wänden bemerkbar, aber auch an Kästen und Tischen. Teils sind diese Geräusche ortsstabil, teils wandern sie herum, teils treten sie im ganzen Haus auf.

○ Selbst sorgfältig geschlossene Fenster, Türen und Schränke können sich von selbst aus unbegreiflichen Gründen öffnen.

○ Gegenstände werden verstellt, bewegt oder geworfen. Dabei ist es oft umgekehrt, als man vermuten würde: Zerbrechliche Gegenstände bleiben unversehrt, feste und harte Gegenstände werden dagegen beschädigt.

○ Auch die Flugbahn bewegter Gegenstände kann recht eigenartig sein. So folgen solche Objekte den Konturen der Schränke, Tische und Sitzgelegenheiten.

○ Wird eine Person von solchen bewegten Objekten getroffen, kommt es zumeist zu keinen Verletzungen.

○ Manchmal dringen Gegenstände - oft sind es Steine - in geschlossene Räume ein. Es sieht so aus, als würden sie sich einige Zentimeter unterhalb der Zimmerdecke in der Luft bilden. Berührt man sie schließlich, so empfindet man sie meist als warm.

O Ein besonders wichtiger Punkt bei Spukphänomenen betrifft die Fokusperson. Oft sind diese Fokuspersonen Jugendliche in der Pubertätszeit. Es können aber auch mehrere Personen als Fokuspersonen wirken. Sie lösen jedenfalls - obwohl sie oft keine Ahnung davon haben - die betreffenden Spukphänomene aus. Sobald die Fokusperson dagegen nicht mehr anwesend ist, hören die Phänomene wieder auf.

Bei all diesen parapsychologischen Erscheinungen ist natürlich immer wieder auch das Problem der Täuschung und des Betruges sehr sorgfältig und genau im Auge zu behalten.[91] Betrügereien reichen von künstlichen Manipulationen, um scheinbar paranormale Phänomene zu erzeugen, bis hin zu falschen "Geständnissen", um bekannt gewordene Phänomene wieder abzustreiten. Die einen stehen unter Erfolgszwang, weil man ihnen ihre Fähigkeiten nicht glauben will. Die anderen streiten Phänomene wieder ab und deklarieren sich selbst als Schwindler, weil sie mit dem belastenden Ruf "eine Hexe zu sein" nicht mehr leben wollen. Selbstverständlich ist aber auch die Kritiklosigkeit okultgläubiger Menschen sorgfältig einzukalkulieren.

Der Leser wird verstehen, daß man es der keuschen Naturwissenschaft nicht verargen kann, daß sie mit solchen Geschichten nichts zu tun haben will.

*

Für manche ist es schockierend zu sehen, daß der "Glanz" von Naturwissenschaft und Technik bloß ein Pseudoglanz ist. Denn die Methode des Wissens ruht auf unverifizierten, hypothetischen Verallgemeinerungen und eine ganze Reihe eigenartiger Ungereimtheiten stellt die Basis des naturwissenschaftlichen Argumentierens dar. Naturwissenschaftliche Theorien sind bloß irgendwelche Modelle, die in Bereichen gelten, die man gar nicht genau abstecken kann[92]. Wissenschaftliche Revolutionen sind ihrem Wesen nach nicht-kumulative Prozesse. Eher ein taumelnder Zickzackkurs liegt vor als eine zielstrebige Entwicklung. Aristotelische Mechanik, Newtonsche Mechanik, Einsteinsche Relativitätstheorie und Quantenmechanik zeigen völlig divergierende Grundauffassungen. Die Unvermeidlichkeit statistischer Gesetze führt überhaupt zur Unterbrechung der bisher fraglos als gültig geglaubten Kumulativität naturwissenschaftlichen Wissens.

In der Naturwissenschaft steht man vor einer kaleidoskophaften Vielzahl von Bildern, die sich nicht vereinen lassen. Wo ist aber da der verläßliche und eindeutige Weg zu sehen, der den zielsicheren Fortgang der Forschung leitet? Dieser erhofften absoluten Eindeutigkeit und Sicherheit hatte die Naturwissenschaft aber beim Publikum ihr Ansehen und ihren Nimbus zu verdanken.

Man sollte jedoch nicht jammern, daß Naturwissenschaft und Technik nicht über eine heilsabsolute Vorgangsweise verfügen; den anderen Bildern des kulturellen Bemühens geht es ja auch nicht besser. Aber man sollte wohl deutlich zum Ausdruck bringen, daß sie im Vergleich zu anderen Bemühungen auch nichts Besonderes ist. Eine autoritative Vormachtstellung gar ist jedenfalls nicht gerechtfertigt.

Es war also ein Irrtum, der Naturwissenschaft und Technik vor anderen Bildern kulturellen Bemühens eine Priorität einzuräumen. Eine Priorität, die in Wechselwirkung mit einer unersättlichen Wirtschaft zu einer Gigantomanie mit andauerndem Selbstantrieb geführt hat. Aber auch dieses Perpetuum mobile entpuppt sich heute als eine technisch unmögliche Maschine. Unsere Kultur ist zur Monokultur entartet und auf diese Weise aus dem Gleichgewicht gekommen. Wohl nur ein Pluralismus könnte helfen, die Balance wieder zu gewinnen.

Kapitel 6
Die Vielfalt der Bilder

Unser westliches Denken ist insbesondere heute in einem verhängnisvollen Fundamentalismus gefangen: Wir meinen, daß sich die "Wirklichkeit" grundsätzlich in einem einzigen Bild zeigen müsse. Wenn wir vor unterschiedlichen Bildern stehen, die womöglich gar nicht zusammenpassen, dann fürchten wir den Boden unter den Füßen zu verlieren.

Leider verstehen wir es nicht anders. Erst jetzt schrecken wir auf: Die Natur kippt! Die Vielfalt der Schöpfung zieht sich immer rascher zurück! Das, was uns bloß geborgt wurde, haben wir vergeudet und versaut! Einem Großteil der Menschheit widerfährt bittere Ungerechtigkeit, während wir selbst im zivilisatorisch-technischen Plunder ersticken und trotzdem wohlig immer mehr davon haben wollen. Der Preis ist uns egal. Am besten ist es, wenn ihn die noch Ungeborenen zahlen.

Was hier vor unseren Augen abläuft, ist die letzte Phase jenes modernen Fundamentalismus, der meint, man könne das, was uns alles in komplexer Weise Wirklichkeit wird, in einem *einzigen* Bild -

nämlich im naturwissenschaftlichen - vereinen. Dieses Dogma ist deswegen heute so gefährlich, weil es einer Komplizenschaft von Naturwissenschaft, Technik und Ökonomie die scheinbare Legitimität erteilt unaufhaltsam voranzuschreiten, obwohl der gähnende Abgrund bereits knapp vor uns liegt. Jedes Argument, das der Wissenschaft und Ökonomie widerspricht, wird als irrational gebrandmarkt und vom Tisch gewischt. Und so ist es gut zu verstehen, daß von Seiten der Naturwissenschaft und Technik es nicht gerne gesehen wird, wenn auf die Brüchigkeit und Ungeschlossenheit des naturwissenschaftlichen Bildes hingewiesen wird.

Ein modernes Tabu also!

Mit Recht fürchtet man, daß die heute noch autorisierte Sichtweise von den Menschen zuletzt womöglich bloß als ein unverbindliches Bild eingestuft wird, wodurch Macht und Einfluß drastisch zurückgehen würden. Verständlich ist also die Furcht, jene Privilegien zu verlieren, aber es muß gesagt werden, daß ja auch die anderen Bereiche kulturellen Bemühens ohne jenen besonderen Vorzug auskommen müssen, für sich eine absolute Gültigkeit behaupten zu können. Weder philosophischen Ideen (etwa von Marx), noch Glaubensbildern (einer Kirche) oder künstlerischen Vorstellungen gestatten wir einen absoluten Einfluß auf das Leben der Gesellschaft zu nehmen. Teils haben sich diese Bilder einen solchen Vorzug erst gar nicht angemaßt, teils ist dieser Vorzug im Lauf der Geschichte wieder verloren gegangen.

Gott sei Dank!

Das, was uns in aller Komplexität Wirklichkeit wird, läßt sich eben nicht in ein einzelnes Bild pressen, ohne wesentliche Teile dabei zu vernachlässigen. Tut man es trotzdem und richtet man sich *ausschließlich* nach dieser verkürzten Sicht, dann sind die Kollision und die Zerstörung, dann ist der Zusammenbruch als letzte Konsequenz unvermeidlich.

Eine *Vielfalt von Bildern* wird uns also führen müssen, ein Denkmusterpluralismus wird die einseitige Sicht der Naturwissenschaft und Technik zu ersetzen haben. Es ist also nicht ein einziges Bild, welches wir in simpler Primitivität unreflektiert als "Wahrheit" *übernehmen* dürfen. Wir werden uns bemühen müssen, zu einer Vielfalt von Bildern zu finden, die in ihrer Pluralität jenes abdeckt, was uns alles Wirklichkeit wird. Jedes einzelne Bild, das einem dabei vor Augen steht, wird man *aus dem eigenen Selbst aufzubauen und zu verwirklichen haben*. Jedes Bild muß stets vom eigenen Selbst aufgespannt werden; andernfalls würde es zu einer gefährlichen "Ideologie" entarten, wie das in der Geschichte schon öfters der Fall war.

Naturwissenschaftliche Bilder

Es wirkt auf den "Naturwissenschafts-Gläubigen" zunächst sehr schockierend: Die Naturwissenschaft - als die vermeintlich schärfste Form des Erkennens - liefert auf ihrem eigenen Gebiet bloß zersplitterte Realitäten! Der Schock läßt für den kritischen

Betrachter allerdings nach, wenn er sich daran erinnert, was eine naturwissenschaftliche Realität eigentlich ist: Die naturwissenschaftliche Realität ist eine intersubjektive Wirklichkeit. Und das, was im naturwissenschaftlichen Sinn für mich hier *Wirklichkeit* wird, ist das denkend erfaßte Ergebnis komplexer Eingriffe in die Natur, ist das denkend erfaßte Ergebnis sogenannter Experimente. *Wie* allerdings der komplexe Eingriff auszusehen hat und *wie* das Echo hierauf denkend erfaßt werden soll, ist eine Frage, die man *vor* jeder naturwissenschaftlichen Erkenntnis festzulegen hat. Und das ist bekanntlich auf *unterschiedlichste* Weise möglich.

So ist es also kein Wunder, daß die naturwissenschaftliche Realität seit jeher zersplittert war und sich in vielen Facetten zeigt und auch heute bloß in einer zerbrochenen Form vor uns steht. Die Hoffnung, *eindeutig* erkennen zu können, hat sich also nicht erfüllt. Dem wissenschaftlichen Laien Sicherheit vorzutäuschen und relative Erkenntnissplitter, die morgen wieder anders aussehen, als wahre Sicht der Dinge auszugeben, ist zutiefst unseriös und heute bereits unerträglich. Zu oft hat der Bürger Expertenstreitigkeiten schon erlebt.

Doch wo ist da der feste Boden wirklich? Woran kann man sich halten?

Im vierten und fünften Kapitel wurde ausführlich dargestellt, auf welche Weise die Naturwissenschaft zu ihren Bildern kommt. Möglichst anschauliche Beispiele haben wir dabei aufgegriffen, damit wir uns nicht im akademischen Dunst und Höhenrauch verlaufen.

Um es modifiziert zu sagen: Ein naturwissenschaftliches Bild ist im allgemeinen eine umfassende und komplexe Konstruktion eines Denkmusters, welches gestattet, Erscheinungen *aufzugreifen* und zu *erklären*.

Der Leser dieses Textes ist bereits derart sensibilisiert, daß er zielklar die entscheidenden Worte im vorstehenden Absatz aufspießt:

Was heißt Erscheinungen erklären?

Was heißt Erscheinungen aufgreifen?

Erklären heißt nachzuweisen, daß eine Erscheinung mit den Naturgesetzen in Übereinstimmung ist. Wenn man dieses Übereinstimmen im Geiste nachvollzogen hat, dann ist der naturwissenschaftliche Wissensdurst gestillt. Mehr will er nicht.

Erscheinungen aufgreifen heißt, Anschauungselemente begriffskonform zu ordnen, zu Naturgesetzen zu verdichten und für den Akt des Erklärens bereitzustellen.

Mit diesen Überlegungen sind wir, ohne es zu merken, zu einer sehr tiefen Schicht vorgedrungen, nämlich bis zur Schicht der *Anschauungselemente*. Anschauungselemente sind ja, wie wir sagten, begriffskonform zu ordnen. Das Wort Anschauung meint eine möglichst allgemeine, breite und unverengte Form des Gewahrwerdens und Innewerdens.

Hier an dieser Stelle besteht eine besondere Gefahr; man kann nämlich sehr leicht in einen verhängnisvollen Irrtum geraten, weshalb ich auf Folgendes deutlich hinweisen möchte: Anschauungselemente führen über Begriffe, Gesetze und Erklärungen zum Bild der Naturwissenschaft, in dem man selbst als körperliches Wesen in Erscheinung tritt, welches mit Hilfe verschiedener Sinnesorgane (Augen, Ohren, ...) seine Umwelt beobachtet. Es wäre aber ein schwerer Denkfehler, wenn man Teile dieses *erst später zu gewinnenden Bildes* schon jetzt als Gegebenes voraussetzt und glaubt, sagen zu dürfen, daß die Anschauungselemente mit Hilfe von Auge und Ohr in physiologischer Manier registriert werden. Man beachte, daß eine genaue Angabe, auf welche Weise die Anschauung gewonnen wird, hier in diesem Zeitpunkt *ein Vorurteil zugunsten eines bestimmten, erst später konstruierbaren Denkmusters wäre.* Ein solches Vorurteil wäre aber ein schwerer methodischer Fehler und ist daher zu beseitigen. Es bleibt mir in dieser Situation nur zu sagen, daß mein Selbst vor einer Anschauung steht, die mir gewahr wird.

Geheimnisvoll und tief tut sich also da plötzlich jenes Selbst auf, jenes Selbst, welches der Anschauer der Anschauung ist. Verschwunden ist der seichte, platte Drang zu fragen, ob jenes *Selbst* in Raum und Zeit auf Atomen beruht, ob und wie es evolutionär[93] geworden und wann es aus dem Schall und Rauch des Urknalls sich von selbst gebildet hat. Alle diese Fragen sind darüber hinaus auch irgendwie peinlich. Denn sie machen deutlich, daß derjenige, der diese Frage stellt, einem großen Mißverständnis aufsitzt: Man stellt nämlich eine recht simple Scheinfrage und merkt es gar nicht. Die naturwissenschaftlich formulierte Frage nach dem Selbst und was dieses sei, geht ins Leere, denn sie will das, was sie selbst zu Beginn ihres Fragens *zur Vorausset-*

zung hatte - nämlich den "Anschauer der Anschauung" -, hinterher aus dem Hut zaubern. Sie will das, was *Voraussetzung* für das Erklären war, zuletzt auch noch einer Erklärung unterwerfen. *Voraussetzungen* sind *Setzungen*, die man im *voraus* festlegt, weil es anders nicht geht. Versuchen Sie doch, sich eine Anschauung einmal ohne Anschauer vorzustellen! Das geht nicht. Der naturwissenschaftliche Versuch, das Selbst zu erfassen, erinnert also stark an den Freiherrn von Münchhausen, der sich an seinem eigenen Zopf aus dem Sumpf zu ziehen versucht.

Es ist hochinteressant zu beobachten, wie das naturwissenschaftlich orientierte Bild mit seinem Raum-Zeit-Materie-und-Logik-Repertoire immer mehr verblaßt, wenn man sich dem Selbst - dem Anschauer der Anschauung - nähert: Wir haben im Detail erläutert und verstanden, wie man in der Naturwissenschaft durch die Methode des Wissens Anschauungselemente selektiert und zum naturwissenschaftlichen Bild, zum naturwissenschaftlichen Denkmuster in einem raum-zeitlich-materiellen Koordinatensystem zusammenführt. Steigt man jedoch jetzt aus diesem Bereich des naturwissenschaftlichen Bildes wieder in den Bereich der Anschauung *hinunter*, so findet man sich in einer ganz eigenartigen und ungewohnten Situation vor: Die Anschauungselemente liegen hier nämlich - wie wir plötzlich bemerken - jenseits unseres Konstruktes, sie liegen jenseits von Raum, Zeit und Materie. Denn Anschauungselemente wurden zwar zu einem Denkmuster verknüpft, in dem wir Raum, Zeit und

Materie vor uns sehen, umgekehrt sind aber diese Inhalte der Denkmuster für die Anschauungselemente irrelevant. Man hätte ja aus den Anschauungselementen auch ganz andere Denkmuster formen können. Die Anschauungselemente sind also *translokal*, sie sind also jenseits räumlicher Koordinaten, sie sind *transtemporal*, also jenseits eines zeitlich geordneten Ablaufes, sie sind *transmaterial*, sie sind jenseits des materiellen Substrates. Das ist eigentlich klar, denn aus diesen Anschauungselementen werden *ja erst später* Raum, Zeit und Materie "gestrickt", also können Raum, Zeit und Materie nicht *schon vorher* vorhanden und gegeben sein.

Steigt man nun noch eine Stufe tiefer zum Selbst hinunter, so läßt man Raum, Zeit und Materie und all die anderen Denkmuster noch weiter zurück und befindet sich sogar jenseits der Anschauung. Hier müssen wir überhaupt schweigen. Hierher reichen keine Bilder mehr. Vielleicht könnte man im übertragenen Sinn gerade noch einmal daran erinnern, daß das Selbst der Anschauer der Anschauung ist. Mehr ist nicht zu sagen.

In einem naturwissenschaftlich orientierten Bild werden Subjekt und Objekt voneinander getrennt sichtbar. Beim Hinuntersteigen in unser eigenes Fundament haben wir jene Seinshaftigkeit, die sich im naturwissenschaftlichen Bild als Subjekt sieht, als "das Selbst" bezeichnet. Was entspricht in diesem tiefen Bereich dann dem Objekt, welches wir im naturwissenschaftlichen Bild so deutlich vom Subjekt unterscheiden konnten? Entspricht dem vom Subjekt getrennten Objekt das "Selbst", welches von einem "Anderen" *getrennt* ist? Wo ist da die Grenze zwischen dem Selbst und dem Anderen?

Diese Frage liegt scheinbar auf der Hand, denn wir sehen ja auch eine scharfe Abgrenzung des Subjektes vom Objekt, vom Ich zum Du. Im naturwissenschaftlichen Bild ist diese Grenze jedenfalls deutlich sichtbar. Unsere Frage nach der Grenze zwischen dem Selbst und dem Anderen verleitet uns dazu, die Idee von Subjekt und Objekt samt seiner Grenze in die Tiefe unseres Fundamentes, in den Bereich des Selbst und des Anderen zu projizieren und dort aus Gewohnheit zu materialisieren und dingfest zu machen. Wir finden hier aber keine Grenze zwischen dem Selbst und dem Anderen. Wir haben uns mit der Bildlosigkeit abzufinden und das betrifft sowohl das Selbst als auch das Andere und erst recht die vermutete Grenze zwischen beiden. Wir können das Selbst und das Andere nicht auseinander halten. Metaphorisch, bildlich gefragt: Fließen sie ineinander? Waren sie nie voneinander getrennt? Sind das Selbst und das Andere eins im Umfassenden?

Hier sind wir schon recht weit weg von unserem naturwissenschaftlich orientierten Bild. Wenden wir uns einem anderen Bild zu. Es ist eigenartig, auch hier offenbart sich wieder die geheimnisvolle Tiefe des Seins.

Philosophische Bilder

"Philosophie begann mit der Frage: Was ist? - Es gibt zunächst vielerlei Seiendes, die Dinge in der Welt, die Gestalten des Leblosen und des Lebendigen, endlos vieles, alles kommend und gehend. Was ist aber das eigentliche Sein, das heißt das Sein, das alles zusammenhält, allem zugrundeliegt, aus dem alles, was ist, hervorgeht?" Mit diesen Worten[94] beginnt Karl Jaspers, um seinen philosophischen Grundgedanken des "Umgreifenden" darzulegen:

Die Frage, was das eigentliche Sein sei, wurde in den Tausenden Jahren philosophischen Denkens sehr unterschiedlich beantwortet. Ja man hat sogar vom "Skandal der Philosophie" gesprochen, um das Befremden zum Ausdruck zu bringen, daß all diese philosophischen Bemühungen keine allgemeingültigen Aussagen hervorgebracht haben.

Geheimnisvoll klingen die Gedanken der ältesten Philosophen. Alles ist Wasser, alles ist aus dem Wasser, Wasser ist das Grundelement, sagt Thales. Aber später gab es auch noch andere Gedanken: Alles ist Feuer. Alles ist Luft. Bekannt und recht selbstverständlich ist es dagegen für uns zu hören, daß das eigentliche Sein die Materie ist. Alles hat die Materie zur Grundlage. Alles besteht aus Atomen, besteht aus Stoff, der einem naturmechanischen Geschehen unterworfen ist. Andere Bilder zeigen wieder, daß das eigentliche Sein das Leben ist, das Leben in seiner unendlichen Vielfalt. Aus diesem Leben ist das Leblose entstanden, das eigentlich nur Abfall ist. Wieder ein anderes Bild leuchtet auf und sagt: Das eigentliche Sein ist der Geist. Alle Materie, die Dinge, alles was man sieht, ist nur eine Erscheinung im Geist, ist eine Vorstellung, ist eigentlich nichts anderes als ein Traum, der sich im Geist aufbaut.

Weltanschauungen sind aus diesen philosophischen Bildern geworden, die man durch besondere Namen gekennzeichnet hat. Der *Hylozismus* etwa meint jene Lehre der ionischen Naturphilosophen, für die ein belebter Urstoff (Hyle = Gehölz, Wald, Stoff) die eigentliche Substanz aller Dinge ist; für sie ist also das All eine seelisch lebendige Materie. Die Weltanschauung des *Spiritualismus* nimmt dagegen an, daß alles nur im Geist ist und dort zur Erscheinung kommt. Das Bild des *Materialismus*, das uns heute so vertraut ist, sagt, daß alles nur Materie ist, die in Raum und Zeit eingebettet als einziges existiert und dort Naturgesetzen unterworfen ist, die das naturmechanische Geschehen regeln.

In allen diesen Fällen hat man jenes, was das eigentliche Sein sei, dadurch charakterisiert, daß man auf etwas hingewiesen hat, was in der Welt vorkommt und hat alles andere, was sonst noch ist, daraus erklärt. Im *Hylozismus* war es der belebte Urstoff, der den Geist hervorbrachte und die leblose Materie war Abfall. Im *Spiritualismus* war der Geist das Primäre, in dem Materie und Leben nichts als ein Traum sind. Im *Materialismus* ist die Materie der Ursprung von allem; aus ihr bilden sich in Raum und Zeit die biologischen Zellen, die die Basis des Lebens sind und in höchster Ausprägung schließlich im Menschen den Geist hervorbringen.

Allen diesen Sichtweisen liegt ein gemeinsamer Gedanke zugrunde. Sie nehmen an, daß das eigentliche Sein etwas ist, das mir als Gegenstand in der Welt gegenübersteht, also etwas, was in meiner Welt vorkommt. Sie nehmen an, daß das eigentliche Sein ein Objekt ist, dem man sich zuwenden könne.

Diese Denkweise ist für uns derart selbstverständlich, weil wir in unserer Welt ja nie anders agieren. Immer wenden wir uns irgendwelchen Gegenständen zu, immer sehen wir ein Anderes, das uns gegenübersteht, immer sind wir als Subjekt im Denken auf ein Objekt gerichtet. Das gilt sogar auch dann, wenn wir über uns selbst nachdenken, wenn wir uns selbst zum Gegenstand des Denkens machen. Ständig befinden wir uns in einer *Subjekt-Objekt-Spaltung*, aus der wir uns nicht befreien können. Es ist kein Objekt ohne Subjekt denkbar und kein Subjekt ohne Objekt.

Das Sein im Ganzen kann also weder ein Objekt sein, noch kann es ein Subjekt sein; es muß jenes *"Umgreifende"* sein, das sich in dieser Subjekt-Objekt-Spaltung zeigt. Ich als Subjekt trete aus dem Umgreifenden heraus und alles was mir Objekt wird, was ich als Gegenstand erkenne, tritt aus dem Umgreifenden an mich heran. Das Umgreifende selbst bleibt für mein Bewußtsein aber unerkennbar, es bleibt stets im Hintergrund. Das Umgreifende ist nicht etwas, was *irgendwo* vorkommt, das Umgreifende ist jenes, *worin* alles andere dem Subjekt begegnet.

Diese Gedanken erscheinen uns zwar fremdartig, weil sie nicht auf das Erkennen eines neuen Gegenstandes gerichtet sind; sie sind für uns aber von großer Bedeutung, denn sie übersteigen alles Gedachte und möchten unser Seinsbewußtsein verwandeln. Diese Gedanken lassen das Seiende durchscheinend werden.

Vom Umgreifenden kann man nicht *direkt* philosophieren; man kann auch in das Sein nicht *direkt* eindringen. Immer wenn wir sprechen und argumentieren verwenden wir Worte und Begriffe, die (im weitesten Sinn) Gegenständliches meinen. Im Philosophieren vom Umgreifenden leuchtet durch gegenständliches Denken das Ungegenständliche des Umgreifenden als das eigentliche Sein auf.

Hat man sich durch diese philosophische Grundoperation von der Vorstellung gelöst, daß das Sein in Objekten zu suchen ist, so kommt uns auch die Idee der *Mystik* näher. Dem Mystiker gelingt es, die Subjekt-Objekt-Spaltung zu überschreiten und er gelangt zu einem Verschmelzen von Subjekt und Objekt, die Gegenständlichkeit verschwindet, das Ich erlischt und das eigentliche Sein tut sich auf.

Auch wenn der Mystiker im Umgreifenden versinkt, so gelingt es ihm doch nie, nach seinem Erwachen in einer Sprache mitzuteilen, was in seinem mystischen Erleben das Wesentliche und das Besondere war. Alles Aussprechbare steht immer im Rahmen der Subjekt-Objekt-Spaltung und alles Gesagte hat gegenständliche Gestalt, ist bloß ein Bild, ist bloß ein Denkmuster. Was jenseits liegt, ist nicht mehr mitteilbar. Das, was der Mystiker sagt, ist als Chiffre, als geheimes Schriftzeichen zu verstehen. Hinter diesem Zeichen will er das Unmitteilbare durchklingen lassen; das Unmitteilbare ist seine Botschaft.

In diesem übertragenen Sinn müssen wir auch die alten Seinslehren verstehen, die das Feuer, das Wasser oder die Luft als das eigentliche Sein angesprochen haben. Diese Worte waren Chiffren, sie wollten nicht eine leibhaftige Realität zum Ausdruck bringen.

Philosophiert man vom Umgreifenden, so macht man dieses zum Gegenstand, was niemals Gegenstand werden kann und auch kein Gegenstand ist. Man wird gut daran tun, den gegenständlichen Inhalt des Gesagten rückgängig zu machen, um das Umgreifende, gleichsam als Differenz, aufleuchten zu sehen. Das scheinbare Nichts verwandelt sich in etwas, woraus das eigentliche Sein zu uns spricht.

Glaubensbilder

Noch einmal sehen wir einen weiteren deutlichen Weg vor uns, der uns in einer ganz eigenartigen Sprache die unendliche Tiefe des Seins vermittelt. Es ist das der Weg, der zu den verschiedenen Glaubensbildern führt, die vielen Menschen in ihrem Leben neben anderen Bildern einen festen Halt geben.

Man spürt rein instinktiv sofort die andersartige Gangart, die hier im Gegensatz zur Naturwissenschaft eingeschlagen wird. Während die Naturwissenschaft sich in eher kleinkarierter Beamtenmentalität hinten und vorne ängstlich abzusichern versucht - und das, wie wir wissen, vergeblich! -, stehen die großen Bilder der Religionen in monolithischem Ernst vor uns und kümmern sich recht wenig darum, wie sie ihre Aussagen dem Menschen rational schmackhaft machen könnten. Es ist auch gar nicht notwendig.

Die unterschiedlichen Glaubensbilder, von denen wir erfahren durften, lassen eine beeindruckende Tiefe erahnen, sodaß es schwer fällt, eine Auswahl zu treffen. Wenn hier zuerst vom christlichen Glauben der katholischen Kirche die Rede ist, so geschieht das nur deshalb, weil ich selbst in dieser Tradition aufgewachsen bin, wenngleich ich auch viel zu wenig in ihr lebe und verwurzelt bin. Als eindrucksvolles Gegenstück zu dieser detaillierten Vorstellung eines *persönlichen* Gottes sei anschließend auch ein Beispiel östlicher Religiosität genannt.

Christlich katholischer Glaube

Der vor kurzem erschienene Katechismus[95] der katholischen Kirche will eine organische Synthese der wesentlichen und grundlegenden Inhalte der Glaubens- und Sittenlehre darstellen. Es ist das ein umfangreiches Werk, welches man als Einheit lesen muß, damit man jedes Thema in seiner Verbindung mit dem Ganzen sieht. Tausende Fußnoten gestatten es, auch den Zusammenhang mit der Heiligen Schrift aufzufinden, wodurch ein noch tieferes Verständnis zu erlangen ist. Es versteht sich von selbst, daß ein kurzer Streifzug diesem Gebäude nie gerecht werden kann. Ich hoffe aber doch deutlich machen zu können[96], daß hier ein großartiges Bild vorliegt, in welches man aus seinem Selbst hineinwachsen kann und es auf diese Weise verwirklicht. Es muß wohl nicht betont werden, daß man in einem Glaubensbild etwas anderes sieht, als in den Bildern der Naturwissenschaft und Philosophie deutlich geworden ist. Eine andere Interpretation unserer Anschauung wird möglich, eine andere Wirklichkeit tut sich auf. Wiederum leuchtet uns die geheimnisvolle Tiefe des Seins entgegen.

Es ist bemerkenswert, wie deutlich die katholische Kirche ihre Lehre der Gotteserkenntnis als Bild auffaßt und damit in dieser Lehre nicht eine wortwörtlich zu verstehende Aussage meint:

"Da unsere Gotteserkenntnis begrenzt ist, ist es auch unser Sprechen von Gott. Wir können nur von den Geschöpfen her und gemäß unserer beschränkten menschlichen Erkenntnis- und Denkweise von Gott sprechen."[97]

"Wir müssen deshalb unser Sprechen von ihm unablässig von allem Begrenzten, Bildhaften, Unvollkommenen läutern, um nicht den 'unaussagbaren, unbegreiflichen, unsichtbaren, unfaßbaren' Gott mit unseren menschlichen Vorstellungen von ihm zu verwechseln. Unsere menschlichen Worte reichen nie an das Mysterium Gottes heran."[98]

"Wenn wir auf diese Weise von Gott sprechen, drückt sich unsere Sprache zwar menschlich aus, bezieht sich aber wirklich auf Gott selbst..."[99]

Das "Bild des Glaubens" wird man also vom "Bildhaften" läutern müssen, um das Transzendente zu spüren. Man wird hier an Jaspers erinnert, der in seinem philosophischen Bild auf die gleiche Notwendigkeit des Läuterns hingewiesen hat: "Erdenken wir das Umgreifende in philosophischer Ausarbeitung, so machen wir doch wieder zum Gegenstand, was seinem Wesen nach nicht Gegenstand ist. Daher ist der ständige Vorbehalt nötig, das Gesagte als gegenständlichen Inhalt rückgängig zu machen, um dadurch jenes Innewerden des Umgreifenden zu gewinnen, das nicht Ergebnis einer Forschung als nunmehr aufsagbarer Inhalt ist, sondern eine Haltung unseres Bewußtseins."[100]

Die Quelle des Glaubens. Die Frage, wo die eigentliche Quelle des Glaubens liegt, findet ihre Antwort in der Erkenntnis, daß Gott auf den Menschen zugeht und sich offenbart:

"Es hat Gott in seiner Güte und Weisheit gefallen, sich selbst zu offenbaren und das Geheimnis seines Willens bekannt zu machen."[101]

Gott will "die Menschen befähigen, ihm zu antworten, ihn zu erkennen und ihn weit mehr zu lieben, als sie von sich aus imstande wären."[102]

An erster Stelle der Offenbarung steht die Heilige Schrift. Gott ist der Urheber, der eigentliche Autor des Alten und Neuen Testamentes.[103] Gott hat als

Heiliger Geist die menschlichen Verfasser inspiriert[104], wodurch diese Bücher die Wahrheit lehren[105]. Gleichwertig mit der Heiligen Schrift ist die Überlieferung[106], die gleichfalls durch den Heiligen Geist geführt wird[107] und die Schriften der Kirchenväter und Konzilsbeschlüsse einschließt. Das Lehramt der Kirche schließlich hat die Aufgabe, das geschriebene oder überlieferte Wort Gottes authentisch auszulegen.[108] Auch sie steht unter der Führung des Heiligen Geistes.

Gott. Für den christlich katholischen Glauben ist Gott ein einziges Wesen[109], welches durch sich selbst in absoluter Vollkommenheit existiert. Gott ist ein persönliches Geistwesen, von dem alles abhängt. Ein zentrales Geheimnis des christlichen Glaubens ist das Mysterium der heiligsten Dreifaltigkeit.[110] Gott ist in drei Personen - Vater, Sohn und Heiliger Geist - eine Einheit.[111]

Die Schöpfung. "Im Anfang schuf Gott Himmel und Erde" (Gen 1,1). Er allein ist der Schöpfer und alles was existiert, hängt von Gott ab, der das Dasein gibt.[112] Die Schöpfung ist das gemeinsame Werk der heiligsten Dreifaltigkeit.[113] Die Welt ist zur Ehre Gottes geschaffen.[114] Gott erschafft in Freiheit durch seinen Willen "aus nichts"[115], er schafft eine geordnete und gute Welt[116], er ist über die Schöpfung erhaben und in ihr zugegen[117], er erhält und trägt sie[118] in jedem Augenblick. Durch die Fügung der Vorsehung verwirklicht Gott seinen Plan.[119]

Geistige, körperlose Wesen. Die Existenz der Engel ist eine Glaubenswahrheit.[120] Als rein geistige

Geschöpfe haben sie Verstand und Willen, sie sind personale und unsterbliche Wesen, die alle sichtbaren Geschöpfe an Vollkommenheit überragen.[121] Von der Kindheit bis zum Tod umgeben die Engel mit ihrer Hut das Leben des Menschen.[122] Neben den Engel-Gestalten kennt die Kirche auch den Satan oder Teufel. Sein Tun bringt schlimme geistige und mittelbar selbst physische Schäden über jeden Menschen und jede Gesellschaft.[123]

Der Mensch. "Gott schuf den Menschen nach seinem Bilde" (Gen 1,27). In der Schöpfung nimmt der Mensch eine einzigartige Stellung ein: Er ist "nach Gottes Bild" geschaffen[124], in seiner Natur vereint er die geistige mit der materiellen Welt[125]. Der Ausdruck *Seele* bezeichnet das Innerste im Menschen, das Wertvollste an ihm, das, wodurch er am meisten nach dem Bilde Gottes ist: "Seele" benennt das geistige Lebensprinzip im Menschen.[126] Die Kirche lehrt, daß jede Geistseele unmittelbar von Gott geschaffen ist und daß sie unsterblich ist: sie geht nicht zugrunde, wenn sie sich im Tod vom Leibe trennt, und sie wird sich bei der Auferstehung von neuem mit dem Leib vereinen.[127]

Das Leben in Christus. Dank seiner Seele und seiner geistigen Verstandes- und Willenskraft ist der Mensch mit Freiheit begabt.[128] Durch seine Vernunft vernimmt er die Stimme Gottes, die ihn drängt, das Gute zu lieben und zu tun und das Böse zu meiden. Jeder Mensch ist zum Gehorsam gegenüber diesem Gesetz verpflichtet, das im Gewissen ertönt und in der Liebe zu Gott und zum Nächsten erfüllt wird. Das Gewissen ist der verborgenste Kern und das

Heiligtum des Menschen, in dem er allein ist mit Gott, dessen Stimme in seinem Innersten widerhallt.[129] Das Gewissen ist ein Urteil der Vernunft, durch das der Mensch erkennt, ob eine bestimmte Tat gut oder schlecht ist.[130] Im sittlichen Handeln zeigt sich die Würde des Menschen.[131] Am Tag des Gerichtes werden alle Menschen mit ihren Leibern vor dem Richterstuhl Christi erscheinen, um über ihre Taten Rechenschaft abzulegen.[132]

Im Rahmen von Glaubensbildern ist nicht der Ort "historische Bilder" darzulegen. Es ist aber eine Binsenwahrheit, daß die kritische Leben-Jesu-Forschung ein anderes Bild vor sich sieht[133], welches gleichfalls sehr wertvoll ist. Man sollte aber streng darauf achten, unterschiedlich gewordene Bilder nicht zu vermischen: Es ist völlig sinnlos, wenn man meint, man müsse Details, die man im historischen Bild für richtig erkannt hat, nun auch ins Glaubensbild implantieren und man müsse dort entsprechende Korrekturen veranlassen. Ähnlich sinnlos wäre es, wenn man umgekehrt fordern würde, man müsse Details, die man im Glaubensbild für richtig erkannt hat, etwa ins naturwissenschaftliche Bild implantieren und man müsse dort zum Beispiel Korrekturen im Bereich der astronomischen Himmelskunde veranlassen. Über den Galileischen Prozeß schmunzelt man zwar, den Fehler aber, den die Kirche damals begangen hat, begeht man heute mit umgekehrtem Vorzeichen noch immer.

Noch einmal sei also darauf aufmerksam gemacht: Die Bilder des Katechismus, der Geschichtsforschung und der Naturwissenschaft wachsen jeweils aus anderen Wurzeln. Weder die Bibel, noch die Naturwissenschaft müssen daher umgeschrieben und dadurch verflacht werden. Die verschiedenen Bilder stehen vielmehr in befruchtender Pluralität nebeneinander.

Laotse und das Tao

Laotses Buch vom Tao ist wohl das am öftesten übersetzte Werk eines chinesischen Denkers. Einerseits wohl deshalb, weil es zu den schwerstverständlichen Schriften der Weltliteratur gehört und daher verschiedene Interpretationen möglich macht und anderseits wohl auch, weil es die heilige Schrift des Taoismus ist. Es ist zwar bloß ein kleines Büchlein, es hat aber auf die Welt einen sehr großen Einfluß ausgeübt.

Laotse hat vermutlich um 550 v. Chr. gelebt und war einer der größten chinesischen Denker. Sein Werk trägt den Titel "Tao-tê-king", was in deutscher Sprache soviel wie "Vom höchsten Wesen und höchsten Gut" bedeutet.

Wenn man dieses Büchlein aufschlägt, dann wird einem schon nach kurzem Lesen bewußt, welch grundsätzlich andere religiöse Bilder der östliche Mensch in sich trägt. Während die westliche Religiosität einen persönlichen Gott sieht, der die Welt aus dem Nichts erschaffen hat und auf dem Weg der Vorsehung einem Ziel entgegenführt, glaubt die östliche Religiosität an ein natürliches und moralisches

Weltgesetz, welches den Kosmos, der ohne Anfang und Ende ist, lenkt. Der Begriff "Tao", der im Zentrum des Taoismus steht, meint dieses Weltgesetz, das sich in Natur und Sitte zu erkennen gibt; es klingt hier aber auch etwas an, was man als heilige Macht, als Absolutes, als Allgeist verstanden hat. Das Tao ist das Gegenteil des sich zeigenden, des erscheinenden Seins und wird daher oft auch als "Nichts" bezeichnet, obwohl es der Urgrund alles Existierenden ist. Es liegt jenseits von Raum und Zeit, zeigt keine Eigenschaften und ist dadurch unfaßbar. Der Taoismus ist also eher ein *philosophisch* orientiertes Glaubensbild; trotzdem ist es zu einer chinesischen Volksreligion geworden.

Vielleicht lassen die folgenden Aphorismen[134], die dem Buch Laotses entnommen sind, den Unterschied ahnen, der sich zwischen dem östlichen und westlichen religiösen Bild auftut. Eine geheimnisvolle Tiefe weht aus den alten Verszeilen dem Leser entgegen:

Über das absolute Tao

Das Tao, über das ausgesagt werden kann,
Ist nicht das absolute Tao.
Die Namen, die gegeben werden können,
Sind keine absoluten Namen.

Das Namenlose ist der Ursprung des Himmels und der
    Erde,
Das Benannte ist die Mutter aller Dinge.

Das Prinzip der Wiederkehr

Wiederkehr ist die Tat des Tao.
Sanftheit ist die Wirkung des Tao.
Die Dinge dieser Welt kommen aus dem Sein,
Und das Sein kommt aus dem Nicht-Sein.

Streben nach Wissen

Ohne aus seiner Tür zu treten,
Kann man wissen, was auf der Welt geschieht.
Ohne aus seinem Fenster zu schauen,
Kann man das Tao des Himmels sehen.
Je weiter man dem Wissen nachstrebt,
Desto weniger weiß man.
Darum weiß der Weise, ohne herumzulaufen,
Versteht ohne zu sehen,
Vollendet, ohne zu tun.

Das Tao. "Das Tao, über das ausgesagt werden kann, ist nicht das absolute Tao." Diese Worte, die Laotse ganz an den Anfang seines Büchleins stellt, warnen davor zu glauben, daß man ein Wissen um dieses geheimnisvolle Tao "besitzen" könnte. Über das Tao kann man nicht in der gleichen Weise sprechen wie über endliche Dinge. Wir werden unwillkürlich an das "Umgreifende" von Jaspers[135] erinnert. Auch vom Umgreifenden kann man nicht angemessen sprechen, weil ja Worte und Begriffe im weitesten Sinn stets Gegenständliches eines Paradigmas, eines Bildes meinen.
Wenn man vom Tao dennoch spricht, so wird man keine direkten Aussagen machen können: "Man

horcht nach ihm und hört es nicht, daher nennt man es lautlos. Man greift nach ihm und faßt es nicht, daher nennt man es stofflos."[136] Wollte man das Sein des Tao positiv aussprechen, so würde man es in die Endlichkeit herabzerren: "Das Tao ist leer."[137] Will man es in den Kategorien des Denkens erfassen, dann entzieht es sich dem Zugriff: "Und kehrt ins Reich des Nichts zurück."[138]

Ein Gegenstand zeichnet sich dadurch aus, daß er von anderem unterscheidbar ist, daß er also endlich ist. Ein Viereck ist durch seine Ecken gekennzeichnet, ein Gefäß durch sein Volumen. Wird ein Viereck oder ein Gefäß unendlich wie das Tao, dann werden sie ununterscheidbar: "Das größte Viereck hat keine Ecken, das größte Gefäß faßt nicht, ... das größte Bild hat keine Gestalt."[139]

Das Tao ist also *vor* der Welt, *bevor* noch Unterscheidungen möglich sind. In ihm sind Sein und Sollen dasselbe. Das in der Welt Getrennte, das Gesetz und die Ordnung wurzeln im Tao. Dennoch ist das Tao nicht unzugänglich, denn es ist stets gegenwärtig, es ist das Sein, das allem Seienden zugrundeliegt.

Das Leben mit dem Tao. Die Lebenspraxis für den Menschen wird das Einssein mit dem Tao anstreben. Jedoch ist dieses Einssein keine Selbstverständlichkeit.

Vom Tao entfernt man sich durch die Absichtlichkeit jeglichen Handelns, durch das Sichselbstbespiegeln, durch zweckhaftes Wollen, kurz durch absichtliches Sichselberwollen: "Wer sich enthüllt, ist nicht leuchtend; wer sich rechtfertigt, ist nicht berühmt; wer sich rühmt, dem traut man nicht; wer auf sich stolz ist, ist nicht Herr unter den Menschen."[140] Durch jede Absichtlichkeit sieht man die Welt in Alternativen und strebt eine Möglichkeit davon mit Absicht an; hierdurch zieht man seine Wurzeln aus dem Tao und verliert es.

Das Ganze der moralischen Gesinnung ruht im Taoismus auf dem "Nichthandeln" und dem "Nichttun", das aus dem Ursprung der Unabsichtlichkeit verstanden werden muß. Das Nichttun darf man aber nicht mit Nichtstun verwechseln. Das eigentliche Tun soll vom Menschen getan werden, als täte er es nicht: "Er tut nicht und doch ist er nicht untätig."[141] "Der hohe Mensch beharrt im Tun des Nichttuns."[142]

Der hohe Mensch zeichnet sich durch ein Nichtsichselberwollen aus. Dieses zeigt sich im *Nichtbegehren*: "Wer begierdelos ist, der erkennt das Tao; wer stets Begierden hat, sieht nur seine Äußerlichkeit."[143] "Er wirkt und behält nicht, er handelt und beansprucht nicht."[144] Das Nichtsichselberwollen zeigt sich im *Nichtbeanspruchen*, im *Sichnichtselbstbetrachten* und im *Sichzurückhalten*: Der Mensch, der im Tao wandelt, "wünscht nicht seine Weisheit sehen zu lassen."[145] "Nicht sich rühmt er, darum ragt er hervor."[146] Wer im Tao lebt, hat seinen eigenen Willen erlöschen lassen und ist zu dem geworden, was er selbst ist. Er ist barmherzig und sparsam, er ist bescheiden und spricht nie viel. "Durch viele Worte wird der Geist erschöpft."[147]

Fragt man nach dem *Sinn des Lebens*, so würde Laotse vielleicht antworten, daß man am Tao teilhaben soll. "Wer wie das Tao ist, der dauert fort: Er büßt den Körper ein ohne Gefahr."[148] "Wenn etwas seine volle Kraft entfaltet hat, dann altert es."[149]

Das Tao und die menschliche Gemeinschaft. Für Laotse ist auch das Lenken einer menschlichen Gemeinschaft durch das Nichthandeln und durch das Freilassen gekennzeichnet. Dieser schwer begreiflichen Idee liegt die Vorstellung zugrunde, daß ein Herrscher, der auf dem Weg des Tao wandelt, auch das Wohl der menschlichen Gemeinschaft fördert: Gute Ernten und gutes Zusammenleben sind die Folge, Überschwemmungen, Seuchen und Kriege werden dadurch hintangehalten: "Je mehr es im Reiche Beschränkungen und Verbote gibt, desto ärmer wird das Volk. Je künstlicher und erfinderischer die Behandlung des Volkes ist, desto unglaublichere Schliche kommen auf. Je mehr Gesetze und Verordnungen erlassen werden, desto mehr treten Räuber und Diebe auf."[150] Oder woanders liest man: "Das Volk hungert, weil seine Obrigkeit zu viel Abgaben verzehrt."[151]

Das Optimum einer menschlichen Gemeinschaft sieht Laotse in einer großen Zahl kleiner selbständiger Staaten, die in ihrer pluralistischen Vielheit nebeneinander stehen: "Klein sei der Staat, mit wenig Bevölkerung."[152] "Nachbarländer mögen in Sehweite liegen, daß man den Ruf der Hähne und Hunde gegenseitig hören kann: und doch sollten die Leute im höchsten Alter sterben, ohne hin und her gereist zu sein."[153]

Wenn man Laotses Gedankenbild vor sich sieht, empfindet man *abermals* besonders deutlich, daß es in der unendlichen Tiefe des Seins wurzelt. Von dort aus wächst es und ist vom Menschen aus dem eigenen Selbst heraus lebendig zu vollziehen. Laotses Gedanken kann man nicht im Sinn von Wissen "besitzen". Nur durch das eigene Vollziehen erlangt dieses Gedankenbild Bedeutung. Dieses Bild ist nicht nur für die Lebenspraxis des einzelnen wichtig, es dient auch der menschlichen Gemeinschaft als wertvoller Leitfaden.

Kunst

Neben den Bildern der Naturwissenschaft, der Religion, der Philosophie stehen auch die vielen Bilder, die einzelne Menschen im Laufe der Jahrtausende auf dem Gebiet der Kunst geschaffen haben. Unser ganzes Leben ist begleitet von den tiefen Eindrükken, welche die Werke der Künstler auf uns ausüben. Wie oft beeindruckt uns ein großartiges Bauwerk, wie oft werden wir von einer wunderbaren Melodie ergriffen, wie oft stehen wir staunend vor einem Gemälde oder einer Skulptur eines Meisters und wie oft nehmen uns die Worte eines Dichters gefangen und berühren uns tief. Diesen Menschen ist es gegeben, ihr inneres geistiges und seelisches Erleben in besonderer Weise zu Bildern zu verdichten.

Bei Karl Jaspers lesen wir über das Philosophieren: "Das philosophische Denken muß jederzeit ursprünglich sein. Jeder Mensch muß es selber vollziehen." Auch für die Kunst sind diese Worte gültig. Kunst kann nur dort entstehen, wo der Mensch aus seiner Tiefe und Fülle das Erschaffen eines Werkes gestaltend selber vollzieht. Er folgt einem Anruf aus dem Transzendenten und das Gewordene steht dann als Chiffre des Unerkennbaren in der Welt. "Auf eine geheimnisvolle, rätselhafte mystische Weise entsteht das wahre Kunstwerk aus dem Künstler", bekennt der Maler Wassily Kandinsky.

Wie sehr die Kunst die Hingabe des ganzen Menschen an sein Werk fordert und welche Qualen das Gestalten, das Hervorbringen eines Werkes dem Künstler bereiten, zeigt sich eindrucksvoll in einem Brief Gustav Mahlers an seine Freundin Anna von Mildenburg: "Es sind furchtbare Geburtswehen, die der Schöpfer eines solchen Werkes erleidet, und bevor sich das alles in seinem Kopf ordnet, aufbaut und aufbraust, muß viel Zerstreutheit, In-sich-versunken-Sein, für die Außenwelt Abgestorben-Sein vorhergehen." Und Mahler fährt fort: "Die ganze Natur bekommt darin eine Stimme und erzählt so tief Geheimes, das man vielleicht im Traume ahnt. Ich sage Dir, mir ist manchmal selbst unheimlich zumute bei manchen Stellen, und es kommt mir vor, als ob ich das gar nicht gemacht hätte." Wie tief fühlt hier der Künstler, daß sein musikalisches Schaffen aus Bereichen kommt, die nicht mehr erfaßbar sind.

Vielleicht am unmittelbarsten gelingt es den Dichtern uns ihre Gedanken, ihre Gefühle vor Augen zu führen. Ihre Dramen, Komödien, Romane, Texte, ihre Lyrik berühren über das geschriebene und gesprochene Wort hinaus etwas in unserer Tiefe, das uns bewegt, erhebt und uns unseres Selbstes gewiß werden läßt. "Alles, was wir Erfinden, Entdecken im höchsten Sinn nennen, ist die bedeutende Ausübung, Betätigung eines originalen Wahrheitsgefühls, das im stillen längst ausgebildet, unversehens mit Blitzesschnelle zu einer fruchtbaren Erkentnis führt. Es ist eine aus dem Inneren am Äußeren sich entwickelnde Offenbarung, die den Menschen seine Gottähnlichkeit vorahnen läßt. Es ist eine Synthese von Welt und Geist, welche von der ewigen Harmonie des Daseins die seligste Versicherung gibt." Aus diesen Altersworten J. W. v. Goethes über die Dichtung klingt die Ahnung an von dem Göttlichen, aus dem zu allen Zeiten die Werke der Künstler aufblühen und leuchten.

Die Bedeutung der Bildervielfalt

Unsere vorangegangenen Überlegungen haben uns Bilder vor Augen geführt, die in sich einen unglaublichen Reichtum an Einzelheiten tragen. Alle Details, die in den Einzelbildern zu sehen sind, stehen in sorgsamer Art miteinander in Beziehung und verwirklichen so ein feingliedriges Gerüst, welches kaum eine Frage offenläßt.

Große Unterschiede sieht man in der Art und Weise, wie diese Bilder entstanden sind. Jahrtausende reichen *Glaubensbilder* in die Vergangenheit zurück und wurzeln dort in Mythen und heiligen Gesängen. Recht kurz - bloß ein paar hundert Jahre - sind dagegen die *Naturwissenschaft und Technik* von Bedeutung. Was ihnen an Entwicklungszeit fehlt, haben sie durch Arbeitseifer aufgeholt: Eine unglaublich große Zahl von Menschen widmet sich naturwissenschaftlich-technischen Fragen. *Philosophische Bilder* haben oft nur einen Bruchteil einer Lebensspanne Zeit zu wachsen. Der Antrieb des inneren Fragens drängt den Philosophen sein Bild zu schaffen, aus dem er selbst zuletzt sein Leben großteils gestaltet und anderen Suchenden die dornigen Wege des Denkens ebnet. Noch kürzer ist die Zeitspanne, in der ein *Kunstwerk* entsteht. Hier spürt man - so glaube ich - am deutlichsten, daß das Werk fast eruptiv aus dem Selbst hervorbricht, wo es in seiner Anlage jenseits von Zeit und Raum entstanden ist.

Aber nicht nur der Zeitfaktor ist es, der hier Unterschiede deutlich macht. Auch jene Bedingungen sind sehr verschieden, die das Bild überhaupt erst entstehen lassen. Im Bereich der *Naturwissenschaft* wurden experimentelle Erfahrung, Logik, Falsifizierbarkeit, Intersubjektivität, Reproduzierbarkeit, deterministische Gesetze und die Kumulativität des Wissens als unerläßliche Bedingungen angesehen. Doch bald mußten da und dort die strengen Forderungen zurückgenommen werden, um nicht den eigenen Fortschritt zu behindern. In unterschiedlichen Teilbereichen von Naturwissenschaft und Technik wurden unterschiedliche methodologische Vorgehensweisen notwendig, um in der Forschung voranzukommen. Aus dem vermeintlich eindeutigen Bild wurde eine kaleidoskophafte Wirklichkeits-Vielfalt.

Auf ganz anderen Erfahrungen ruht aber im Vergleich dazu das *Glaubensbild*. Hier sind es bei manchen Glaubensbildern Offenbarungen, die bedeutenden Menschen zur einprägsamen Wirklichkeit wurden. Immer wieder wird von solchen Phänomenen auch außerhalb kirchlich anerkannter Offenbarungen gesprochen. Vielleicht kennt der eine oder andere Leser die Berichte über die mystischen Erfahrungen, die der bekannte französische Mathematiker und Begründer der Wahrscheinlichkeitsrechnung Blaise Pascal einst gemacht hat.[154] Bei anderen Glaubensbildern sind es wieder die Wege der Askese oder der Versenkung, die tiefe Einsichten vermitteln.

Für die *Philosophie* ist oft eine experimentelle Erfahrbarkeit und ähnliches eher belanglos, und das philosophische Bild ruht einzig und allein auf der Vernunft. Die unterschiedlichen Bilder wachsen also aus unterschiedlichen Wurzeln.

Von großer Wichtigkeit ist es, daß man jedes dieser Bilder aus dem eigenen Selbst heraus lebendig vollzieht. Nur dann hat es für den Menschen jene Bedeutung, die dem Bild eigentlich zukommt.

Ein *naturwissenschaftlich-technisches Bild* darf nicht zu einem stumpfen Formelwissen verkommen. Ein solches wäre belanglos, da es fast nicht anwendbar ist. Nur wenn man um die Entstehung dieses Wissens weiß, kennt man die Grenzen der Anwendbarkeit und kann in der Forschung kreativ mitwirken. Wenn man um die Entstehung des wissenschaftlichen Wissens weiß, ist auch die Versuchung kleiner, das wissenschaftlich Entdeckte zu verabsolutieren und als "die eine Wahrheit" aufzufassen.

Auch beim *Glauben* steht das eigene Vollziehen im Mittelpunkt. Es kommt nicht sosehr darauf an, die Kniebeuge fehlerfrei und im richtigen Moment durchzuführen, hier ist es eher wichtig, sein ganzes Leben aus innerer Überzeugung heraus auf den Glaubensgrundsätzen und den ethischen Richtlinien fußend zu gestalten.

Auch ein *Kunstwerk* muß den ganzen Menschen in seiner Tiefe erfassen und es ist nicht so wichtig, schon nach den ersten Takten einer Symphonie sagen zu können, welches Opus hier gespielt wird, wann dieses Werk komponiert wurde und wie der Dirigent heißt. Dieses Faktenwissen, das sich bei großer Erfahrung später von selbst einstellt, ist sekundärer Natur.

Das eigene Vollziehen eines Bildes, das aus dem Selbst heraus wächst, das eigene Aufspannen des Bildes ist also wichtig. Alles andere ist bloß angelernt und damit bedeutungslos. Auch kommt es nicht darauf an, daß man zu *jedem* Bild Zugang hat; es ist schon schön, wenn man einige wenige Bilder aus der Tiefe nachvollziehen kann. *Die Tiefe wird dadurch bewußt.*

In diesem Zusammenhang sei auch auf eine ganz große Gefahr hingewiesen. Entwurzelte Bilder, also Bilder, denen man nicht mehr ansieht, auf welche Weise sie aus dem Selbst gewachsen sind, werden sehr leicht verabsolutiert. Man weiß nicht mehr um ihre Entstehung und glaubt, in diesem Bild eine unverrückbare Wahrheit vor sich zu haben. Eine Wahrheit, die man losgelöst "haben" oder wie eine Sache "besitzen" könne. Dieser vermeintliche Besitz erscheint jedoch unversehens gefährdet, wenn eine anders lautende "Wahrheit" auftaucht, die mit der ersten in Konkurrenz tritt. Das Gefühl der Unsicherheit und die Angst den Boden unter den Füßen zu verlieren, führen zur Aggressivität und zum inneren Drang, den vermeintlichen Wahrheitsbesitz notfalls auch zu verteidigen.

Wir alle kennen solche verabsolutierten Bilder, die oft recht lange mit Gewalt aufrecht erhalten wurden. Philosophische Bilder, wie etwa jenes von Karl Marx oder Mao Tse-Tung, haben weite Teile Europas und Asiens mit brutaler Gewalt beherrscht. Religiöse Bilder, in deren Zentrum an sich die Nächstenliebe steht, haben zu Kreuzzügen und Hexenverbrennungen Anlaß gegeben. Verabsolutierte Kunstrichtungen haben andere Auffassungen als "entartete Kunst" diffamiert. Aber auch verabsolutierte wissenschaftliche Meinungen hat es gegeben, wie die in unseligen Zeiten propagierte "Deutsche Physik" und jene fürchterliche Idee der "Rassenhygiene".

Ich möchte auch noch auf einen anderen Gesichtspunkt hinweisen, der eng mit der sehr problematischen Auffassung verbunden ist, daß man ein Bild "als die eine Wahrheit" haben oder besitzen könne. Diese Auffassung führt nämlich unweigerlich zu einer *Verarmung der Bildinhalte*. Lassen Sie mich das bitte näher ausführen:

Wenn man meint, daß Bilder "Wahrheiten" sind, die man "haben" oder "besitzen" kann, dann hält man auch die Details dieser Bilder für solche Wahrheiten. Und wenn es nun geschieht, daß ein bestimmtes Detail des einen Bildes im Widerstreit mit einem Detail eines anderen Bildes ist *und nur eines davon "wahr" sein kann*, dann wird man jenes Detail eliminieren, das dem unwahrscheinlicheren Bilde entstammt. Ich möchte dazu ein Beispiel anführen:

Im katholischen Glaubensbild gibt es jenes Glaubensdetail, das besagt, daß "Gott die Welt *aus nichts* erschafft". Im naturwissenschaftlichen Bild weiß man dagegen, daß die "Masse/Energie erhalten bleibt". Diesen Widerspruch beseitigt man in Zeiten einer Wissenschafts-Euphorie dadurch, daß man das Glaubensdetail beseitigt. Auf diese Weise wird in einem kontinuierlichen Prozeß ein Detail nach dem anderen eliminiert und einer mehr oder minder nichtssagenden naturwissenschaftlichen Deutung zugeführt. Die Bildinhalte des Glaubens verarmen also. Umgekehrt verarmen naturwissenschaftliche Bildinhalte, wenn in Zeiten einer Glaubens-Euphorie aus dem gleichen Motiv wissenschaftliche Erkenntnisse (Galilei!) verboten werden.

Das bisher Gesagte hat uns schon manche Hinweise dafür gegeben, welch große Bedeutung eine nicht-verabsolutierte Bilder-Vielfalt für die Ganzheit und für die Erfülltheit eines Lebens hat. Sehr unterschiedlichen Situationen steht der Mensch in seinem

Leben ja gegenüber und sucht nach unterschiedlichen Bildern, die ihn führen könnten. Den Unbilden der Witterung zum Beispiel wird er mit rational strukturierten Bildern beizukommen versuchen. Gefahren, Not und Krankheit, aber auch der Tod eines geliebten Wesens werden ihn zu Sinnfragen führen, auf die vielleicht die Philosophie oder ein Glaubensbild eine Antwort weiß. Von diesen Bildern erfährt er vielleicht eine Führung, wenn er vor ethischen Fragen steht oder wenn er sich der Verantwortung bewußt wird, die er durch sein Handeln oder *sogar auch durch sein Nichthandeln* auf sich nimmt.

Unsere heutige Zivilisation ruht in entscheidendem Maß auf dem rationalen naturwissenschaftlichen Bild. Und so ist es nicht erstaunlich, daß der Mensch in seinem Inneren bald eine beengende Einseitigkeit fühlt, der er zumindest zeitweilig entkommen möchte. Die verschiedenen Bereiche der Kunst eröffnen dem Menschen da einen besonders wertvollen Reichtum. Dieser Drang, die Rationalität loszulassen, äußert sich aber auch in der großen Beliebtheit anderer Bilder.

So vermittelt die *Esoterik* in Geheimlehren und in Geheimkulten einem Kreis von Eingeweihten bestimmte religiöse Kenntnisse und kultische Erlebnisse, die anderen Menschen nicht zugänglich sind. Wenn auch heute die *Astrologie* seltsame Blüten treibt, so reichen ihre Wurzeln in die geheimnisvollen Urschichten magischen Glaubens. Es wird da ein Zusammenhang aller Dinge gesehen und man erkennt eine Entsprechung von Makrokosmos und

Mikrokosmos. In der Blütezeit der Astrologie hat man in den Sternen Mächte gesehen, die das Schicksal nicht nur anzeigen, sondern sogar unmittelbar bewirken. Auch *Dämonen* und *Magie* schimmern in unserer heutigen Zeit in mannigfacher Weise immer wieder durch. Der *Dämonismus* faßt die in der Welt erfahrbaren übersinnlichen Mächte personenhaft auf und schreibt ihnen eine Gestalt und einen Willen zu. Der *Magie* liegt die konträre Auffassung zugrunde. Sie faßt die Welt und das Leben als ein Spiel von magischen, heilig-mächtigen Kräften auf (Dynamismus).[155] Dämonistisches Denken könnte man als Voraussetzung für einen Götterglauben auffassen, magisches Denken für die Entstehung der Naturwissenschaft.

Von besonderer Bedeutung für unser Leben ist aber auch die Einsicht, daß Bilder in sich grundsätzlich ungeschlossen sind. Es ist also eine Utopie zu meinen, daß das betreffende Denkmuster, welches mein Handeln gerade lenkt, in sich komplett ist, wodurch das Sein in einem Ganzen zugänglich wäre. So ist auch eine vollendete Welteinrichtung auf der Basis eines bestimmten Bildes undurchführbar, weil diese Idee schon in ihrem Ansatz unrichtig ist.

Aber nicht nur im großen ist das so. Durch die fundamentale Ungeschlossenheit unserer Bilder trägt das Planen und Verwirklichen in unserem eigenen Leben den Keim des *Versagens* und *Scheiterns* bereits in sich, was uns insbesondere in Grenzsituationen, im Leiden, im Verstricken in einer unaus-

weichlichen Schuld und im Unterworfensein unter
einen Zufall schmerzlich bewußt wird.[156]

Bilder bildet das Selbst aus seiner Anschauung
der Anschauung. Immer wieder andere, und alle
sind sie ungeschlossen und alle sind sie bunt. Sollten
wir nicht auch lernen, diese Bilder loszulassen? Aus
vielen Kulturkreisen und auch aus weit zurückliegenden Epochen gibt es beeindruckende Zeugnisse
für eine ganz andere Art des Sehens, die zu einem
Ich-Erlöschen und einem Aufgehen in einer geheimnisvollen Tiefe führt. Zeugnisse aus dem Buddhismus, der christlichen und islamischen Mystik berich-
ten in überraschender Einheitlichkeit von diesem
meditativen Nachsinnen.

Und im Tode schließlich läßt das Selbst die Bilder
los und versinkt im Sein, aus dem es immer war.

*

*Alles, was uns Wirklichkeit wird, stellt sich dar
als Bild, ist bloß ein Bild. Die einen Bilder sind ab-
strakter, die anderen sind dafür gestaltenreicher
und färbig:*

○ *Das naturwissenschaftlich Beleuchtbare, mit
Raum, Zeit und Materie.*
○ *Das philosophisch Sagbare, mit den Begriffen
Subjekt-Objekt-Spaltung, Umgreifendes und an-
deren.*
○ *Das religiös Geglaubte mit den Worten: Schöp-
fung, Gottvater und Seele oder das Tao.*
○ *Ein lyrisches Gedicht mit seinen Metaphern.*

Keines dieser Bilder darf man - wie wir gezeigt haben - verabsolutieren. Keines darf man aus seinem Gewordensein herauslösen und meinen, daß es für sich selbst seiend gültig ist. Das naturwissenschaftliche Bild würde in einem solchen Fall zu bloßem Formelwissen verkommen, das philosophisch Sagbare zur nachgeplapperten Lehrmeinung, das religiös Geglaubte käme über Gottvater mit Bart nicht hinaus.

So sind Bilder natürlich nicht gemeint!

So sind Wirklichkeiten natürlich nicht aufzufassen!

Alle Bilder, die dagegen aus dem Selbst heraus lebendig vollzogen werden, lassen ahnen, daß man auf einem Selbst, daß man auf einer transzendenten Tiefe ruht. Und das ist die große Bedeutung der Bilder. Diese transzendente Tiefe aber ist weit entfernt von allem, was man benennen könnte. Diese Tiefe ist unauslotbar und geheimnisvoll. Man muß von ihr schweigen.

Jedes Bild gibt jedoch auf seine Weise eine klare Orientierung für das Handeln. Die Fülle der Bilder ist es, aus der das Leben des Menschen schließlich erwächst. Sie befreit aus der Enge verabsolutierten Denkens und führt zur Toleranz gegenüber anderen Menschen, anderen Kulturen und anderem Sein.

Epilog

Keine andere kulturelle Bemühung hat seit den Anfängen der Menschheit je ein so umfassendes Gefährdungspotential geschaffen wie Naturwissenschaft und Technik. Die Informations-Medien zeigen uns täglich neue Aspekte dieser fürchterlichen Wirklichkeit.

Wie konnte es so weit kommen? Warum verlieren wir das Gleichgewicht? Gibt es keine Gegenkraft?

Leider stellt man fest, daß das, was Gegengewicht sein könnte, im Lauf der Zeit immer mehr an Bedeutung verloren hat. Naturwissenschaft und Technik tragen nämlich in sich eine verhängnisvolle Eigenschaft, die einem nur selten voll bewußt wird: Und zwar suggerieren sie die gefährliche Überzeugung, daß der naturwissenschaftlich-technische Weg der alleinige ernstzunehmende Weg ist, der unser Handeln lenken soll. Jede andere Form des Denkens wird dadurch immer weiter zurückgedrängt. Alles was nicht rational verstehbar ist, wird seit Jahrzehnten instinktiv unterdrückt und beiseite geschoben oder bestenfalls als rankenförmige Verzierung, als Ornament, als Arabeske des Alltags geduldet. Glaubensbilder, Bilder eines philosophisch Gedachten, ethische Maximen, die das sittliche Wollen und

Handeln des Menschen leiten könnten, werden nach rationalen Gesichtspunkten abgemagert, bis ein ausgemergelter, lendenlahmer Rest übrigbleibt, der alle Kraft verloren hat. Dieser Vorgang geistiger Erosion und Aushöhlung ist in den letzten dreihundert Jahren immer weiter fortgeschritten und hat den Menschen immer stärker erfaßt. Bloß zivilisatorischer Plunder vermag uns noch einen Gaumenkitzel zu vermitteln.

Seit dreihundert Jahren tickt also jene Zeitbombe und heute steht sie knapp vor der Explosion. Die sukzessive Kanalisation der vielfältigen Bilder des Denkens in eine einzige Richtung hat uns in eine gefährliche Situation gebracht: Das, was sich vorher gegenseitig befruchtet und abgestützt hat, ist immer ärmer geworden, ist zur Monokultur entartet und verkommen. Mit Entsetzen stellen wir heute fest, daß dadurch die ganze Stabilität verloren gegangen ist und bloß ein kleiner Anstoß genügt, um alles einstürzen zu lassen. Oder ist es schon so weit? Mit ängstlich aufgerissenen Augen verfolgen wir das erste Krachen im Gebälk, das den gewaltigen Zusammenbruch der Schöpfung einleitet und als erstes unseren zivilisatorischen Flitter wegspülen wird.

Was kann da noch helfen? In erster Linie ist es die *Emanzipation*, die Befreiung all der anderen Bilder aus dem Zustand der Abhängigkeit vom naturwissenschaftlich-technischen Einheitsbild. Eine Verselbständigung und Stärkung all der anderen Bilder ist notwendig, damit aus der verhängnisvollen Monokultur ein "Mischwald" fruchtbarer Bilder wird; Bilder, die sich gegenseitig stützen und stärken und sich gegenseitig in guter Konkurrenz im Zaum halten. Es gilt also, sich aus der naturwissenschaftlichen Umklammerung zu befreien. Ästhetische, ethische, religiöse und philosophische Argumente - wenn man will auch esoterische und hundert andere - haben im Leben in vielen Fällen den Vorrang gegenüber einer mageren Rationalität. Und dieser Vorrang ist zu respektieren. Rationale Argumente sind interessant und haben ihre Bedeutung, sie sind aber nicht der *einzige* Leitfaden für unser Handeln.

Die Emanzipation der seit langem zurückgedrängten Bilder ist also eine wichtige Aufgabe. Aber auch Naturwissenschaft und Technik selbst haben in dieser kritischen Situation einen bedeutenden Beitrag zu leisten. Es gilt den verhängnisvollen modernen Fundamentalismus abzubauen, der behauptet, man könne all das, was uns in komplexer Weise Wirklichkeit wird, in ein *einziges* Bild - und zwar in das naturwissenschaftliche Bild - hineinpressen und sichtbar machen. Diese Einengung des Blickwinkels ist es, von der man sich befreien muß. Ich hoffe, daß das vorliegende Buch hierzu einen Beitrag geleistet hat.

Naturwissenschaft und Technik haben aber auch noch eine zweite wichtige Aufgabe zu leisten. Sie haben rechtzeitig einen *geordneten Rückzug* vorzubereiten und anzutreten, um künftige soziale Erschütterungen in erträglichen Grenzen zu halten. Eine Welt, die sich vom Primat einer monokulturellen Denkform zugunsten pluralistischer Denkformen einmal lösen will, darf nicht durch vollendete Tatsachen de facto daran gehindert werden. Dies geschähe dadurch, daß man die Optionen zukünftiger Generationen durch langfristige Entscheidungen heute schon bindet und festlegt. Atomare Endlager zum Beispiel sind über Jahrzehntausende mit technischem Sachverstand zu überwachen. Wer aber kann heute mit Sicherheit sagen, daß eine naturwissenschaftlich-technische Intelligenz in ein paar hundert Jahren überhaupt noch Zulauf findet? Die Studienrichtung Atomphysik hat ja bekanntlich heute schon mit studentischen Nachwuchsproblemen zu kämpfen.

Eine geordnete "Hofübergabe" an eine pluralistisch denkende Gesellschaft wird bei dezentralisierten, kleinen Strukturen erschütterungsfreier möglich sein, als bei Megastrukturen. Heute ist allerdings noch kein Umkehrtrend zu sehen. Im Gegenteil, viele moderne Technologien formieren sich mehr oder minder unbemerkt zu menschenfeindlichen "Megamaschinen"[157], die immer mehr die Grundrechte der Bürger aushöhlen und unseren Begriff von Freiheit verändern[158] und die Gesellschaft entmündigen[159]. Und das Entsetzliche ist, daß die Zeit drängt und das Falsche geschieht.

*

Die unwidersprochene Priorität von Naturwissenschaft und Technik erscheint uns in einem anderen Licht. Der "Glanz" von Naturwissenschaft und Technik hat sich als Pseudoglanz entpuppt, denn wenn man von innen her, also aus dem Verständnis der Naturwissenschaft und Technik, der Frage nachgeht, worauf sich eine solche Priorität denn gründen könnte, so findet man zu Ergebnissen, die den "Wissenschaftsgläubigen" schockieren: Naturwissenschaft und Technik ruhen auf unverifizierten hypothetischen Verallgemeinerungen, und eine Reihe eigenartiger Ungereimtheiten stellt die Basis naturwissenschaftlichen Argumentierens dar. Eher ein taumelnder Zickzackkurs liegt vor, als eine zielstrebige Entwicklung. Und die größte Gefahr ist darin zu sehen, daß Naturwissenschaft und Technik sehr erfolgreich die Überzeugung suggerieren, sie seien der alleinige ernstzunehmende Weg, der unser Handeln leiten soll. Dazu kommt, daß keine andere kulturelle Bemühung seit den Anfängen der Menschheit je ein so umfassendes Gefährdungspotential geschaffen hat.

Unsere Zivilisation ist also am Ende.

Seit Jahrzehnten ist unsere Kultur immer mehr zu einer Monokultur entartet und auf diese Weise aus dem Gleichgewicht gekommen. Die Stärkung all der anderen Bilder ist notwendig, um die so dringend erforderliche Balance wieder zu gewinnen. Vielleicht können dadurch das Zusammenbrechen der Schöpfung und der Kollaps unserer Welt noch aufgehalten werden, sodaß uns noch eine Zukunft offen bleibt.

Anmerkungen

Die nachfolgenden Anmerkungen bringen Ergän-
zungen zum Buchtext und nennen ferner jenes
Schrifttum, welches als ergänzende Lektüre emp-
fohlen wird und das als Quelle für den vorliegenden
Text gedient hat.

[1] Diese Worte und zum Teil auch die nachfolgenden Gedanken stammen von Jürgen DAHL [Illusion], der seit vielen
Jahren nicht müde wird zu warnen. Er zählt wohl zu den
wichtigsten Autoren, die gegen die Fortschritts-,
Wissenschafts- und Technikgläubigkeit zu Felde ziehen. Ein
Dutzend Bücher stammt aus seiner Feder und sie alle sind
getragen von seiner Sorge um den Bestand dieser Welt und
dieser Schöpfung.

[2] Diese Worte findet man bei DRÖSSER, PFLAUM [Müll]
zitiert. Sie geben in ihrem Artikel einen lesenswerten Überblick über das Müllproblem. Der einzige Ausweg, der gesehen wird: Müll darf gar nicht erst entstehen.

[3] DRÖSSER, PFLAUM [Müll, S. 53]

[4] Man vergleiche die Publikation N.N. [Raubzug]

[5] Für Atomenergie-Befürworter mit schwach ausgeprägter
Vorstellungskraft gibt es als Einstimmungslektüre zum Thema "Angst vor der Atomkraft" ein Eins-zu-eins-Anschau-
ungsbeispiel für zukünftige Havarien: Tschernobyl. Ich emp-
fehle hierzu die Lektüre von WIELAND, MADEY's Aufsatz
"Die Kinder von Tschernobyl".

[6] Man lese hierzu den Artikel von SCHREIBER, FISCHER
[La Hague].

In unserem Buchtext ist nur von den Gefahren die Rede, die
die Atomtechnologie selbst hervorbringt. Das ist aber bei
weitem nicht alles! Eine einmal in einer Gesellschaft instal-

lierte Atomtechnologie hat - wie übrigens *jede andere Groß-technologie auch* - entscheidende Rückwirkungen auf die Gesellschaft selbst. ROSSNAGEL [Grundrechte] hat in seinem Werk dargestellt, was die Kernenergie ganz allgemein für Konsequenzen im Hinblick auf die menschlichen Grundrechte hat. Er analysiert im Rahmen seiner Arbeit die Rechtsänderungen, die ein künftiges Sicherungssystem erzwingen müßte, um Bürger, Gesellschaft und Staat wirksam gegen den Mißbrauch hochgefährlicher Stoffe zu schützen. Er kommt zur Schlußfolgerung, *daß die Rechtsordnung zwar äußerlich bestehen bleibt, der sachliche Gehalt der Grundrechte jedoch ausgehöhlt wird, wodurch sich unser Begriff von Freiheit grundlegend verändert.* Abermals: Fragwürdige Zivilisation! Ein ähnlicher Gedanke wird auch von POSTMAN [Technopol] ausgesprochen, der in der heutigen Entwicklung eine Entmündigung der Gesellschaft sieht.

[7] SCHREIBER, FISCHER [La Hague, S. 102]

[8] KLINGHOLZ, MENZEL [Öl-Report]

[9] SCHLINGENSIEPEN [Crash]

[10] IBRAHIM [Assuan-Staudamm]

[11] Dieser Satz stammt von Jürgen DAHL [Illusion]. In dieser Publikation weist er auf den großen Irrtum hin, daß im Grunde alles so bleiben könne, wie es ist, nur ewas weniger rabiat müsse es zugehen. Es ist ein Irrtum zu glauben, daß Einbußen an Wohlstand und Wohlleben nicht zu befürchten seien! Immer wieder weist er in seinen Schriften auf die großen Gefahren hin, die ein maßloser Gebrauch moderner Technik mit sich bringt. Und weil wir nicht freiwillig maßhalten und verzichten, wird wohl die Katastrophe und die dann unvermeidliche Armut heraufziehen müssen.

[12] MEADOWS [Grenzen, S. 177-197]

[13] Das Kaliber gewisser Politiker wird sichtbar, wenn man erfährt (McKIBBEN [Natur, S. 53]), daß Reagans Innenminister Donald Hodel die Meinung vertrat, daß jene, die Haut-

krebs oder Netzhautschäden befürchten, sich mit Schirmmütze und Sonnenbrille schützen mögen.

[14] MEADOWS [Grenzen, S. 185]

[15] LAUSCH E.[Treibhaus, S. 49]

[16] GORE A. [Gleichgewicht, S. 154]

[17] McKIBBEN [Natur, S. 25]

[18] Es gibt auf der Erde 1,2 Milliarden Stück Rinder, die etwa 73 Millionen Tonnen Methan an die Luft abgeben (McKIBBEN [Natur, S. 27]).

[19] Zufolge Abholzung der Regenwälder steigt die Termitenpopulation sprunghaft an. Aus Termitenbauten entweichen bis zu 5 Liter Gas je *Minute* (McKIBBEN [Natur, S. 28]).

[20] Wegen der anwachsenden Erdbevölkerung nehmen die Reisanbauflächen ständig zu. Man schätzt, daß von den Reisfeldern 115 Millionen Tonnen Methan pro Jahr erzeugt werden (McKIBBEN [Natur, S. 28]).

[21] Man schätzt 10 Billionen Tonnen (McKIBBEN [Natur, S. 29]).

[22] Der Aufschrei vieler verantwortungsvoller Wissenschafter und Autoren ist heute gottlob schon nicht mehr zu überhören. Es gibt eine Reihe wichtiger Publikationen, die diese Thematik ausführlich darstellen. An erster Stelle sind zu nennen: EHRLICH, EHRLICH, HOLDREN [Humanökologie], McKIBBEN [Natur], MYERS [Ökoatlas], LAUSCH [Treibhaus], GORE A. [Gleichgewicht]. Die Beschwichtigungspolitik, die darauf abzielt, den Treibhauseffekt zu verharmlosen, nimmt heute bereits Formen krasser Geschmacklosigkeit an. So streut man hinterrücks Verdächtigungen und Gerüchte aus, daß *Meteorologen die Angst vor dem Treibhauseffekt nützen, um sich größere Computer für ihre Forschungen offenbar zu erschwindeln!* Diese Unterstellung kann man in einer nicht namentlich gezeichneten Publikation der österreichischen Elektrizitätswirtschaft (F.C. [Treibhauseffekt]) nachlesen: "Vertreter der Treibhaustheorie

182

(und gerüchteweise Meteorologen, die größere Computer für ihre Forschungen haben wollen) behaupten ... voraussagen zu können, daß eine stetige Erwärmung der Erdatmosphäre ... stattfinden und zu starken ... Klimaänderungen führen werde." Es erübrigt sich wohl, diesen Text weiter zu kommentieren.

[23] LAUSCH [Treibhaus, S. 54]

[24] Über die Gefährdung der Wälder Europas durch Baum- und Waldsterben lese man den noch immer aktuellen Artikel von MAYER [Waldsterben].

[25] KLINGHOLZ, PILLITZ [Sintflut]

[26] DIEKMANN [Maßnahmen]

[27] Al Gore wurde 1976 in den US-Kongreß und 1984 in den Senat gewählt. 1988 bewarb er sich um die Präsidentschaftskandidatur der Demokratischen Partei. 1992 wurde er zum Kandidaten für das Amt des Vizepräsidenten der USA nominiert. 1992 erschien sein Buch "Wege zum Gleichgewicht".

[28] Konkrete realpolitische Maßnahmen, die die Erde vielleicht noch im Gleichgewicht zu halten vermögen, findet der interessierte Leser in den Werken von GORE A. [Gleichgewicht] und WEIZSÄCKER [Erdpolitik].

[29] Diese Sätze wurden - teilweise gekürzt - aus dem Buch BYDLINSKI, RECHEIS [Erde, S. 60, 66, 72] entnommen.

[30] Eine ausführliche Darstellung der Größenbegriffe der Naturwissenschaft findet man in FASCHING [Werkstoffe].

[31] Eine einfache Ableitung der Pendelgesetze ergibt sich aus einer Bilanz der potentiellen und kinetischen Energie (siehe FASCHING [Gegenwurf]). Hier in diesen Anmerkungen wird öfters das Buch [Gegenwurf] zitiert, weil der Leser dort viele Beispiele und Zitate zusammengestellt findet, die auch in diesem Text eine Rolle spielen. Im [Gegenwurf] sind auch alle Primärquellen zitiert, die für den Leser aber vielleicht weniger interessant sind.

[32] LAPLACE P. S. [Oeuvres, Seite 144]

[33] Beim englischen Scholastiker Adelhard von Bath (1090 - 1160) liest man: "Die Sinne sind weder gegenüber den größten, noch den kleinsten Objekten glaubwürdig. Wer hat je den Himmelsraum mit dem Gesichtssinn erfaßt? Wer hat je mit bloßem Auge Atome erkannt?" ADELHARD VON BATH [Diverso], WAGNER F. [Wissenschaft, S. 22].

[34] Francis Bacon gibt allen mechanischen Künsten den Vorrang, da der "herrliche Apparat, der durch die Technik für die Kultur des Menschen zusammengebracht und eingeführt wurde" die Basis jeglichen Fortschritts sei. Kompaß, Schießpulver und Buchdruck sind für ihn die großartigsten Erfindungen, "denn diese drei verwandeln das Gesicht und den Zustand der Welt ... und hatten unendliche Veränderungen zur Folge, so daß offenbar kein Reich, keine Sekte, kein Stern mehr Macht und Einfluß auf das Leben ausübte als diese Erfindungen." (WAGNER F. [Wissenschaft, S. 47], BACON F. [Cogita]). Bacon wendet sich nicht nur hier, sondern auch an vielen anderen Stellen gegen jede Abwertung des Mechanischen. Er sieht die Technik als Träger des Fortschritts und begrüßt die Weltveränderung durch die Technik.

[35] Doch auch schon in frühen Zeiten war die Naturwissenschaft ein Hilfsmittel für gekonntes Bombenwerfen: "Das Wissen, daß in einer Parabel die Subtangente doppelt so lang ist wie die Abszisse, ist an sich unfruchtbar; es ist jedoch eine notwendige Vorstufe für die Kunst, mit der Genauigkeit Bomben abzuschießen, wie man das heute versteht", schreibt der langjährige Sekretär Fontenelle (1657 - 1757) der Forschungsgesellschaft Ludwig XIV. (FONTENELLE B. [Oeuvres, S. 64], WAGNER F. [Wissenschaft, S. 55])

[36] SODDY F. [Radium, S. 268], WAGNER F. [Wissenschaft, S. 124]. Besonders wunderlich wirkt in diesem Zusammenhang Soddy's Deutung des biblischen Sündenfalls: Er erklärt den Sündenfall, den wir aus dem Alten Testament kennen, als Verlust eines Umwandlungswissens der Menschheit, wodurch er wieder der "unerbittlichen Naturherrschaft"

184

ausgeliefert wurde. Erst die Entdeckung der Radioaktivität hat der Menschheit den Rückweg zur Machtfülle einer materiellen Zukunft versprochen. Diese Machtfülle sei "erhabener als alle bisherigen Weissagungen." "Die verfügbare Energie hat keine Grenze mehr."

[37] ASTON F. W. [Theory, S. 113], WAGNER F. [Wissenschaft, S. 138 f.].

[38] Zu Beginn des Jahres 1939 haben Otto Hahn und Fritz Straßmann von Berlin, Lise Meitner und Otto Robert Frisch von Stockholm und Kopenhagen ihre Forschungsergebnisse publiziert. (HAHN, STRASSMANN [Neutronen]; MEITNER; FRISCH [Reaction]; FRISCH [Division].) Noch im Dezember 1938 hat Hahn an die nach Schweden emigrierte Lise Meitner geschrieben: "Wie schön und aufregend wäre es jetzt gewesen, wenn wir unsere Arbeiten wie früher gemeinsam hätten machen können. Du wärst vielleicht über die Unmenge von Versuchen ein bißchen entsetzt gewesen, weil wir uns nie Zeit lassen konnten oder zu können glaubten, alles sicher bis zum Ende zu messen. ... Wir können unsere Ergebnisse nicht totschweigen, auch wenn sie physikalisch vielleicht absurd sind. ... Wenn wir morgen oder übermorgen fertig werden, dann schicke ich Dir einen Durchschlag des Manuskriptes."(ALTENMÜLLER [Kernspaltung]). Lise Meitner hat in ihrem Neujahrsbrief an Otto Hahn geschrieben: "Wir haben Eure Arbeit sehr genau gelesen und überlegt, *vielleicht* ist es energetisch doch möglich, daß ein so schwerer Kern zerplatzt ..." Sehr bald taucht auch die Idee auf, daß die Kernspaltung energietechnisch genutzt werden könnte. Siegfried Flügge hat Anfang 1939 abgeschätzt (Naturwissenschaften), daß die bei der Spaltung von 4,2 Tonnen Uranoxid freiwerdende Energie einen Kubikkilometer Wasser in die Stratosphäre heben könnte!

[39] WAGNER F. [Wissenschaft, S. 143], EINSTEIN A. [Peace, S. 295]. In Einsteins Brief an Roosevelt vom 2. August 1939 liest man: "This new phenomenon would also lead to the construction of bombs, and it is conceivable - though much less certain - that extremely powerful bombs of a new

type may thus be constructed. A single bomb of this type, carried by boat or exploded in a port, might very well destroy the whole port together with some of surrounding territory."

[40] OPPENHEIMER J. R. [Hearings, S. 81], WAGNER F. [Wissenschaft, S. 174].

[41] WAGNER F. [Wissenschaft, S. 191].

[42] RAND [Report], WAGNER F. [Wissenschaft, S. 272].

[43] HEARINGS [Civil Defense 1961, S. 366 - 67], WAGNER F. [Wissenschaft, S. 326].

[44] HEARINGS [Civil Defense 1958], WAGNER F. [Wissenschaft, S. 274].

[45] WAGNER F. [Wissenschaft, S. 275].

[46] DAHL J. [Verwegenheit, S. 86].

[47] WAGNER F. [Wissenschaft, S. 326].

[48] WAGNER F. [Wissenschaft, S. 325], WEIZENBAUM J. [Verantwortung, S. 17f.].

[49] HEARINGS [Civil Defense 1961, S 366 - 67]. WAGNER F. [Wissenschaft, S. 326].

[50] WALLACE H. A. [Future], WAGNER F. [Wissenschaft, S. 236].

[51] HALDANE J. B. S. [Possibilities], WAGNER F. [Wissenschaft, S. 239].

[52] Gleiche Zitatstelle, siehe [50].

[53] Gleiche Zitatstelle, siehe [50].

[54] Gleiche Zitatstelle, siehe [50]

[55] CRICK F. H. C. [Remark, S. 364], WAGNER F. [Wissenschaft, S. 335].

[56] Immer unüberhörbarer werden heute die Stimmen der Mahner, die sich gegen eine verabsolutierte naturwissen-

schaftlich-technische Sicht wenden. An erster Stelle sind zu nennen:

ALTNER [Fortschrittsprozeß], [Theologie], [Überlebenskrise], [Wirklichkeitserfahrung]. APPLEYARD [Mensch]. CHARGAFF [Alternativen], [Geheimnis], [Warnungstafeln]. DAHL [Erde], [Illusion], [Verwegenheit], [Verwüstung]. HOMMES [Erfahrungsverlust]. ILLIES [Wissenschaft]. JONAS [Forschung], [Verantwortung]. LUTZENBERGER [Anfragen]. MEADOWS, MEADOWS, RANDERS [Grenzen]. MÜLLER [Grundlagenkrise]. REVERS [Psychologie], [Realitätsbewußtsein]. RIESEBERG [Naturzerstörung]. ROSSNAGEL [Grundrechte]. TENBRUCK [Wissenschaft]. WEIZENBAUM, HAEFNER [Mensch]. WEIZENBAUM [Computer], [Verantwortung], [Wissenschaft].

[57] JONAS [Verantwortung, S. 251 ff.]. Dieses Werk ist für Ethikfragen der heutigen Zivilisation von großer Bedeutung

[58] "Die Wissenschaft und ihre Lehre ist frei" liest man im Artikel 17 des Staatsgrundgesetzes. Diese verfassungsgesetzlich zugestandene Freiheit der Wissenschaft ist dann verletzt, wenn einer Person untersagt wird, irgendwelche wissenschaftliche *Forschungen* vorzunehmen, oder wenn eine wissenschaftliche Publikation unterdrückt wird [VfGH. Erk. Slg. 1777/1949, 3068/1956, 3191/1957]. Die *Lehrfreiheit* umfaßt das Recht einer ungehinderten Lehre der Wissenschaft [VfGH. Erk. Slg. 1969/1950, 3068/1956, 4323/1962, 4881/1964]. Dieser Grundsatz richtet sich auch dagegen, daß staatliche Organe in die wissenschaftliche Tätigkeit eingreifen und diese behindern oder beschränken [VfGH. Erk. Slg. 2345/1952, 2823/1955]. Die Freiheitsgarantie erstreckt sich dabei auf alles, was nach Inhalt und Form als ernsthafter und planmäßiger menschlicher Versuch zur Ermittlung der Wahrheit anzusehen ist (KOJA [Wissenschaftsfreiheit]). Damit sich Forschung und Lehre ungehindert an dem Bemühen um Wahrheit ausrichten können, ist die Wissenschaft zu einem von staatlicher Fremdbestimmung freien Bereich persönlicher und autonomer Verantwortung des einzelnen Wissenschaftlers erklärt worden. (Zitiert aus dem Urteil vom 29.

Mai 1973 des Deutschen Bundesverfassungsgerichtes; Entscheidungen des Bundesverfassungsgerichtes, Bd. 35, S. 113.) Man beachte: Das Privileg der Freiheit in Forschung und Lehre genießt der Wissenschafter der Suche nach *Wahrheit* wegen. Der Anspruch auf Forschungsfreiheit setzt voraus, daß die Tätigkeit des *Forschens* samt ihrem internen Ziel, dem Wissen, scharf von der Sphäre des *Handelns* getrennt ist. Nur dann ist die Freiheit gewährt. Ein Wissen, das sich in einem Kopf befindet, kann einem anderen Menschen nicht schaden; ein Forschen um des Wissens willen, wirft als solches also keine sittlichen Probleme auf. Im Handeln jedoch hat jede Freiheit ihre Grenzen: Verantwortung, Gesetz und Rücksicht auf die Gesellschaft sind hier die Schranken. Eine Forschung, die etwas Neues entwickelt, das in seinem geplanten Einsatz einem Handeln gleichkommt, kann nicht unter dem Privileg absoluter Freiheit stehen (JONAS [Forschung, S. 101]). Die Entwicklungen der neuen Zeit lassen es angezeigt erscheinen, über die Freiheit der Forschung eingehender in Zukunft nachzudenken (HOMMES [Erfahrungsverlust], JONAS [Forschung,], MEYER-ABICH [Wissenschaftsfreiheit], TENBRUCK [Wissenschaft]).

[59] Eine ausführliche Darstellung wurde in FASCHING [Gegenwurf] gegeben, wo auch das umfangreiche Schrifttum zu finden ist. An erster Stelle sind hier die Werke von STEGMÜLLER [Begriffsbildung] und [Erklärung] zu nennen. Über die vermeintliche Priorität der naturwissenschaftlichen Methode kann man auch in FASCHING [Wirklichkeit] und [Bilder] nachlesen.

[60] POPPER K. [Logik]

[61] Mc CULLOCH W.S. [Mind, S. 154]

[62] STEGMÜLLER W. [Erklärung, S. 1040 f.]

[63] BALZER W. [Theorie] zitiert umfangreiches Schrifttum.

[64] STEGMÜLLER W. [Begriffsbildung]

[65] Hier muß auf eine nicht unerhebliche Schwierigkeit hingewiesen werden: Einerseits versteht es sich von selbst, daß es

für eine Theorie von entscheidender Bedeutung ist, daß man weiß, wofür sie anwendbar ist. Anderseits läßt sich (wegen der unendlich vielen Anwendungsbeispiele, die heute, aber auch in Zukunft, auf unserer Welt zu finden sind) nur paradigmenhaft, also beispielhaft zum Ausdruck bringen, auf welche Anwendungsfälle die Theorie anzuwenden ist. Es leuchtet ein, daß man bei einer solchen Vorgangsweise gar *nicht exakt* den Anwendungsbereich der Theorie wird abstecken können. Versuchen Sie doch beispielsweise in allgemeiner Form zu charakterisieren, was man unter dem Begriff "Spiel" versteht. *Alle* Spiele, die es heute (aber auch in Zukunft) gibt, sollen damit exakt erfaßt werden, und *nichts* darf unter diese Charakterisierung einreihbar sein, was womöglich kein Spiel ist. Also: Mensch-ärgere-dich-nicht, Bauernschnapsen, Schachspiel, Fußball, etc. sollen als Spiel erkannt werden, streng auszugrenzen wird dagegen das "Russische Roulett" sein. (Mit diesem nicht einfachen Problem hat sich Wittgenstein ausführlich beschäftigt. Man vergleiche auch STEGMÜLLER [Theoriendynamik, S. 195].)

[66] KUHN T. S. [Struktur], [Kopernikus], FASCHING G. [Sternbilder]

[67] Eine erste Information über das Schrifttum zum Thema Erklärungen und Voraussagen kann man dem Buch FASCHING [Gegenwurf, S. 234 - 335] entnehmen.

[68] Vergleiche STEGMÜLLER W. [Begriffsbildung, S. 35]

[69] Eine Darstellung dieses Sachverhaltes kann man bei FASCHING [Gegenwurf, Seite 139 f.] nachlesen.

[70] Galilei spricht bei seinen berühmten Experimenten mit der Fallrinne vom Pulsschlag als "Zeiteinheit". Er schreibt: "Bei wohl hundertfacher Wiederholung fanden wir stets, daß die Strecken sich verhielten wie die Quadrate der Zeiten, und dies galt für jede beliebige Neigung der Rinne, in der die Kugel lief. ... Häufig wiederholten wir die einzelnen Versuche und fanden keine Unterschiede, auch nicht einmal von einem Zehntel eines Pulsschlages." Eine andere, verläßliche Art der Zeitmessung erblickte Galilei in Wasseruhren: "Zur Ausmes-

sung der Zeit stellten wir einen Eimer voll Wasser auf, in dessen Boden ein enger Kanal angebracht war, durch den sich ein feiner Wasserstrahl ergoß, der mit einem kleinen Becher aufgefangen wurde. Das auf diese Weise aufgefangene Wasser wurde auf einer sehr genauen Waage gewogen" (GALILEI [Discorsi]). Die Zeit wurde von ihm also gewogen. Hier wird die Gleichmäßigkeit des Ausfließens vorausgesetzt, bevor man diese Gleichmäßigkeit noch überprüfen kann.

[71] Im Buch FASCHING [Gegenwurf, S. 365 ff.] sind die gängigsten wissenschaftlichen Begriffe, ihre Definition und ihre Einheit zusammengestellt. Von 92 Begriffen beruhen 76 Begriffe auf den Grundeinheiten von Meter beziehungsweise Sekunde.

[72] POINCARÉ H. [Wissenschaft, S. 32]

[73] GOETHE J. W. [Naturwissenschaft II, S. 413]

[74] CARNAP R. [Naturwissenschaft, S. 94 ff.]

[75] FASCHING G. [Gegenwurf, S. 92]

[76] ZIMAN J. [Erkenntnis, S. 107]

[77] KUHN T. S. [Struktur], FASCHING G. [Gegenwurf, S. 172ff.]

[78] Man darf sich hier nicht durch die allfällige Gleichheit der Rechenergebnisse täuschen lassen und glauben, daß man die Newtonsche Theorie durch die Einschränkung $v^2/c^2 \ll 1$ aus der Einsteinschen Theorie ableiten kann. Die Einsteinschen Begriffe sind mit den Newtonschen Begriffen *nicht* identisch, auch wenn sie die gleichen Namen tragen. (Einsteins Masse ist mit Energie vertauschbar, Newtons Masse ist das nicht.) Einstein spricht im Hinblick auf seine Gesamttheorie von einem solchen Unterschied auch ganz deutlich: "Die neue Theorie der Gravitation weicht in prinzipieller Hinsicht von der Theorie Newtons bedeutend ab. Aber ihre praktischen Ergebnisse stimmen mit denen der Newtonschen Theorie so nahe überein, daß es schwer fällt, Unter-

scheidungskriterien zu finden, die der Erfahrung zugänglich sind." EINSTEIN A. [Weltbild, S. 227].

[79] Man ziehe für diese Frage das Buch von DÜRR H. P. [Physik] heran, welches sich mit Physik und Transzendenz auseinandersetzt. Man findet hier Beiträge von David Bohm, Niels Bohr, Max Born, Arthur Eddington, Albert Einstein, Werner Heisenberg, James Jeans, Pascual Jordan, Wolfgang Pauli, Max Planck, Erwin Schrödinger und Carl Friedrich von Weizsäcker.

[80] Genauer gesagt sollte die Beziehung $v = (s/t) \sim (A/L)$ lauten.

[81] HUND F. [Begriffsgeschichte, S. 29 f.]

[82] KUHN T. S. [Kopernikus], FEYERABEND P. [Methodenzwang], FASCHING G. [Sternbilder].

[83] LAUE M. v. [Relativitätstheorie]

[84] Das magnetische Feld magnetisierter Materie kann im Makrobereich im Rahmen der Kontinuumstheorie auf zwei verschiedene Arten gedeutet werden. Zwei verschiedene Theorien stehen gleichberechtigt nebeneinander: die Mengentheorie und die Elementarstromtheorie. Die Mengentheorie ist die Quellenfeldtheorie und die Elementarstromtheorie ist die Wirbelfeldtheorie der magnetisierten Materie.

In der *Mengentheorie* faßt man einen magnetisierten Magnetstab als Dipol auf und führt sein Magnetfeld auf magnetische Polarisationsladungen zurück. Diese magnetischen Polarisationsladungen nennt man auch magnetische Mengen oder kurz Magnetpole. Einen homogen magnetisierten Magnetstab stellt man sich dabei aus differentiell kleinen, gleich stark magnetisierten Elementarmagneten aufgebaut vor. Im Inneren des Stabes kompensieren sich die aneinanderstoßenden Pole. An den Deckflächen dagegen treten Magnetpole unkompensiert in Erscheinung, die das Magnetfeld im Außenraum bewirken.

In der *Elementarstromtheorie* greift man auf die bekannte Tatsache zurück, daß ein homogen magnetisierter Magnetstab und eine geometrisch gleich geformte, von einem elektrischen Strom durchflossene Röhrenspule im Außenraum ein gleichartiges Magnetfeld haben. Den homogen magnetisierten Magnetstab stellt man sich jetzt aus differentiell kleinen elementaren Kreisströmen aufgebaut vor. Im Inneren den Stabes kompensieren sich die aneinandergereihten Kreisströme. An der Mantelfläche dagegen wird ein resultierender elektrischer Elementarstrom zurückbleiben, der, wie bei einer stromdurchflossenen Röhrenspule, das Magnetfeld im Außenraum bewirkt. (Die Herkunft der genannten Kreisströme bringt man mit den um die Atomkerne umlaufenden und um ihre eigene Achse rotierenden Elektronen in Verbindung. Meßtechnisch lassen sich diese an die Materie gebundenen Elementarströme natürlich nicht erfassen. Überhaupt ist auch die Vorstellung von Elektronen, die auf irgendwelchen Bahnen laufen, bekanntlich sehr mit Vorsicht zu verwenden.)

Die *Mengentheorie* und die *Elementarstromtheorie* führen, wie sich zeigen läßt, auf völlig gleichartige äußere Magnetfelder. Diese Äquivalenz ist ganz allgemein aus der Theorie der Vektorfelder als "Äquivalenz von Wirbelring und Doppelschicht" bekannt. Zwei gänzlich verschiedene Vorstellungen vom stationären Magnetfeld magnetisierter Materie stehen also gleichberechtigt nebeneinander und kommen dabei nicht mit der physikalischen Wirklichkeit in Widerspruch. Es steht einem also frei, ob man die eine oder die andere Vorstellung vom Magnetismus verwenden will, nur vermischen sollte man die beiden Bilder nicht. (HOFMANN H. [Feld, S. 254 ff.], FASCHING G. [Wirklichkeit, S. 108])

[85] Im amerikanischen Sprachraum neigt man eher zur Mengentheorie, im europäischen wird vielfach die Elementarstromtheorie bevorzugt. Die Mengentheorie ist die Grundlage für die Monographie von BOZORTH [Ferromagnetism]. HOFMANN [Feld] stellt beide Theorien sauber getrennt dar.

[86] SOMMERFELD A., BOPP N. [Kraftangriff]

[87] HOFMANN H. [Kraftangriff]

[88] DIEDERICH W. [Rekonstruktionen, S. 47]

[89] Einen ersten, sehr guten und verläßlichen Überblick vermitteln BENDER [Parapsychologie] und BAUER [Psi]. Dort sind auch die wichtigsten weiterführenden Literaturstellen zu finden. Ein genau dokumentiertes und kritisch analysiertes Forschungsmaterial, welches sich mit paranormalen Phänomenen auseinandersetzt, findet man in den einschlägigen Wissenschafts-Journalen: Journal of Society for Psychical Research, London; Journal of the American Society for Psychical Research, New York; Zeitschrift für Parapsychologie und Grenzgebiete der Psychologie, Freiburg i. Br.; Spektrum der Parapsychologie, Freiburg, Aurum Verlag.

[90] BAUER [Psi, S. 123 f.]

[91] Besonders sorgfältige Dokumentationen wurden von der englischen Society for Psychical Research durchgeführt. Man vergleiche hierzu auch die Publikation von BAUER [Psi, S. 51 f.].

[92] Über das Problem des Wittgensteinschen Paradigma-Begriffes (Wittgensteins Beispiel vom Spiel) vergleiche man STEGMÜLLER W. [Theoriendynamik, S. 195].

[93] In diesem Zusammenhang ist die Lektüre jener Arbeit besonders interessant, die sich mit der Evolutionären Erkenntnistheorie befaßt (LOCKER [Selbsttäuschung]). Bekanntlich versucht die Evolutionäre Erkenntnistheorie die Herkunft von Bewußtsein und Vernunft aus der Evolution zu erklären. Das Kantsche Apriori - so wird gesagt - trifft zwar ontogenetisch, also die Entwicklung des Individuums betreffend, zu, "in Wirklichkeit" sei es aber ein phylogenetisches, also ein die Stammesgeschichte betreffendes, Aposteriori. Der theoretische Physiker Alfred Locker weist darauf hin, daß "die 'Evolutions'-Theorie hinter den Anfang des Lebens, ja der Wirklichkeit überhaupt, blicken will und das nur mit Hilfe von Modellen tun kann, denen sie nicht anmerkt, daß sie als solche immer das sie voraussetzende Subjekt des Modell-

bauers 'vor' oder 'hinter' sich haben." Die Evolutionäre Erkenntnistheorie will also *hinter den Anfang des Denkens*
blicken und muß zu diesem Zweck *das Denken aber voraussetzen!* Ein unlösbarer Widerspruch also. Locker fährt fort:
"Die Evolutionäre Erkenntnistheorie will ... das Anfängliche
der Erkenntnis, ihre Ermöglichung oder Voraussetzung (ihr
Apriori) aus einem gegenständlichen Erkenntnisresultat
(dem Aposteriori) erklären. ... [Der Trugschluß] entspringt
der Vernachlässigung der Tatsache, daß sich dasjenige nicht
noch einmal bestimmen läßt, was am Anfang der Erkenntnis
steht."

[94] Dieses Zitat stammt aus JASPERS [Einführung, S. 28].
Der nachfolgende Text umreißt den Gedanken des "Umgrei-
fenden" (JASPERS [Einführung, S. 28 - 37]), der für ihn im
Zentrum seines Philosophierens steht.

[95] Der unter keinem eigenen Autorennamen erschienene Katechismus (NN. [Katechismus]) ist in 2.865 Absätze geglie-
dert, deren Ordnungsnummer im vorliegenden Buch zur
Kennzeichnung von zitierten Textstellen verwendet wird.

[96] Eine sehr wertvolle Darstellung des christlichen Glaubens-
bildes findet man bei GLASENAPP [Weltreligionen, S.
194-298], die uns auch im folgenden Text als Leitfaden
dient.

[97] NN. [Katechismus, 40]

[98] NN. [Katechismus, 42]

[99] NN. [Katechismus, 43]

[100] JASPERS K. [Einführung, S. 36]

[101] NN.[Katechismus, 51]

[102] NN [Katechismus, 52]

[103] NN [Katechismus, 105]

[104] NN [Katechismus, 106]

[105] NN [Katechismus, 107]

[106] NN [Katechismus, 75]

[107] NN [Katechismus, 78]

[108] NN [Katechismus, 85] Man beachte in diesem Zusammenhang auch die interessante Analogie zur Naturwissenschaft: Auch in der Naturwissenschaft wird heute die Frage der Authentizität einer naturwissenschaftlichen Untersuchung durch ein bestelltes Gutachtergremium festgestellt. Soferne dieses Gremium zur Auffassung kommt, daß der Kanon der *geltenden* Regeln nicht erfüllt ist, werden Forschungsgelder verweigert und Publikationen von Schriftleitungen abgelehnt. Man geht sogar so weit, daß man in akademischen Kommissionen (z.B. Habilitationskommissionen) nur solcherart begutachtete Arbeiten anerkennt. Ein solches Vorgehen ruft bei Außenstehenden den Eindruck hervor, als könnten die dort bestellten Kommissionsmitglieder sich selbst keine eigene Meinung bilden.

[109] NN [Katechismus, 212]

[110] NN [Katechismus, 234]

[111] NN [Katechismus, 253 f.]

[112] NN [Katechismus, 290]

[113] NN [Katechismus, 292]

[114] NN [Katechismus, 293 f.]

[115] NN [Katechismus, 296 f.]

[116] NN [Katechismus, 299]

[117] NN [Katechismus, 300]

[118] NN [Katechismus, 301]

[119] NN [Katechismus, 302]

[120] NN [Katechismus, 328]

[121] NN [Katechismus, 330]

[122] NN [Katechismus, 336]

[123] NN [Katechismus, 395]

[124] NN [Katechismus, 356 f.]

[125] NN [Katechismus, 362 f.]

[126] NN [Katechismus, 363]

[127] NN [Katechismus, 366]

[128] NN [Katechismus, 1705]

[129] NN [Katechismus, 1795]

[130] NN [Katechismus, 1796]

[131] NN [Katechismus, 1706]

[132] NN [Katechismus, 1059]

[133] *Das historische Jesus-Bild* ist aus ganz anderen Wurzeln gewachsen und sieht dadurch auch anders aus. Bei GLASE-NAPP [Weltreligionen, S. 201 f.] findet man eine hervorragende und ausführliche Darstellung dieses Bildes. Kurz seien die wichtigsten Punkte referiert:

Josef und Maria waren die Eltern von Jesus. Jesus hatte noch jüngere Brüder (Jakobus, Joses, Judas und Simon) und mehrere Schwestern. Er lebte mit seinen Eltern in Nazareth, einer kleinen Stadt in Galileia. Er dürfte dort auch den größten Teil seines Lebens zugebracht haben. Man vermutet, daß Jesus nicht in Bethlehem, sondern in Nazareth geboren wurde. Das steht zwar in Widerspruch zu den Texten des Neuen Testamentes (Mathäus, Lukas), doch es sollte vielleicht durch diesen Namenstausch die Prophezeiung (Mich. 5,1) "bestätigt werden", daß der Messias in Bethlehem zur Welt kommen werde. Es ist historisch ungewiß, ob die Erzählungen über seine Jugend und Kinderzeit (Geburt im Stall, Anbetung durch die Heiligen Drei Könige, bethlehemischer Kindermord, Flucht nach Ägypten) auf Tatsachen beruhen. Jesus dürfte das Handwerk seines Vaters ausgeübt haben. Josef war ein Zimmermann oder ein Tischler. Man ist der Auffassung, daß sich Jesus schon in jungen Jahren mit den Schriften des Alten Testamentes sehr ausführlich befaßt hat.

Ob die Erzählung vom zwölfjährigen Jesus im Tempel (Luk. 2,42 ff.) allerdings wörtlich zu nehmen ist, ist zweifelhaft.

In jener Zeit waren viele Juden der Auffassung, daß der Weltuntergang knapp bevorstehe und daher war sicher auch Jesus von diesen Vorstellungen beeinflußt. Man zog an den Jordan, wo der Prophet Johannes wirkte und die Taufe als ein Symbol der geistigen Läuterung gespendet hat.

Jesus dürfte etwa dreißig Jahre alt gewesen sein, als er an die Öffentlichkeit getreten ist. Seine Tätigkeit hat vermutlich nur ein bis zwei Jahre gedauert. Es ist sehr erstaunlich, daß eine so kurz dauernde Tätigkeit eine derart große Wirkung auf die Menschen haben konnte, die über Jahrtausende ihre Kraft kaum verloren hat. In der Zeitspanne seines öffentlichen Wirkens zog Jesus mit seinen Jüngern und Anhängern im Gebiet von Galiläa predigend umher. In diese Zeit fallen auch Krankenheilungen und Austreibungen von Dämonen.

Die Pharisäer und Schriftgelehrten haben sich zu dieser Zeit für die allein autorisierten religiösen Führer des Volkes gehalten. Und so ist es zu verstehen, daß sie die Erfolge, die Jesus beim Volk zu verzeichnen hatte, höchst argwöhnisch und mißgünstig betrachtet haben. Die Pharisäer und Schriftgelehrten fürchteten um ihren Einfluß und ihre Macht. Unter dem Vorwand der Gotteslästerung (Mark. 14,64) ließen sie ihn beim Osterfest in Jerusalem gefangennehmen. Der römische Statthalter Pontius Pilatus erteilte schließlich die Genehmigung, Jesus zu kreuzigen.

[134] Die Aphorismen wurden dem von LIN YUTANG herausgegebenen Buch [Laotse, Nr, 1, 40, 47] entnommen. Im Aphorismus "Über das absolute Tao" wurde bloß der erste Teil des Gedichtes abgedruckt, der so eindrucksvoll auf die Namenlosigkeit des eigentlich Existierenden hinweist.

[135] Laotse ist ein aus dem Ursprung denkender Metaphysiker. Eine hervorragende Darstellung seines Werkes findet man bei JASPERS [Philosophen, S. 898 - 933]. Auf diesem Werk und auf LIN YUTANG [Laotse] fußen die nachfolgenden Zeilen.

[136] Aus Laotses Aphorismus Nr. 14

[137] Aus Laotses Aphorismus Nr. 4

[138] Aus Laotses Aphorismus Nr. 14

[139] Aus Laotses Aphorismus Nr. 41

[140] Aus Laotses Aphorismus Nr. 24

[141] Aus Laotses Aphorismus Nr. 48

[142] Aus Laotses Aphorismus Nr. 2

[143] Aus Laotses Aphorismus Nr. 1

[144] Aus Laotses Aphorismus Nr. 10

[145] Aus Laotses Aphorismus Nr. 77

[146] Aus Laotses Aphorismus Nr. 22

[147] Aus Laotses Aphorismus Nr. 5

[148] Aus Laotses Aphorismus Nr. 16

[149] Aus Laotses Aphorismus Nr. 30

[150] Aus Laotses Aphorismus Nr. 57

[151] Aus Laotses Aphorismus Nr. 75

[152] Aus Laotses Aphorismus Nr. 80

[153] Aus Laotses Aphorismus Nr. 80

[154] GUARDINI R. [Pascal]

[155] Die Magie setzt sich mit diesen Kräften auseinander, um sie für gewisse Zwecke dienstbar zu machen. Es liegt ihr ein Glaube an eine Automatik von Kräften zugrunde, die der Mensch ausnützen könne. Gewisse magische Handlungen müssen also nur vollzogen werden ("opus operatum"), um diese Kräfte zu entbinden, die dann wirksam werden. (BERTHOLET [Religionen])

[156] JASPERS K. [Einführung, S. 78], JASPERS K. [Weltorientierung, S. 121], FASCHING G. [Wirklichkeit, S. 62 f.].

[157] Man vergleiche in diesem Zusammenhang etwa das sorgfältigst recherchierte Buch von EURICH C. [Megamaschine].

[158] Hier ist auf das lesenswerte und recht anspruchsvoll geschriebene Buch des deutschen Rechtsprofessors Alexander ROSSNAGEL [Grundrechte] hinzuweisen. Roßnagel weiß, wovon er spricht, weil seine Arbeitsschwerpunkte auf diesem Gebiet liegen: Verfassungsrecht und Verfassungstheorie, insbesondere die Entwicklung und Veränderung von Verfassungsrecht; Recht und Technik, insbesondere die rechtliche Bewertung sozialer Auswirkungen technischer Entwicklungen; Atom- und Umweltrecht.

[159] Hier ist das leicht und flüssig geschriebene Buch von POSTMAN N. [Technopol] zu erwähnen.

Schrifttum

ADELHARD VON BATH [Diverso]: De eodem et diverso. In: Thorndike L. [History, II, S. 29].

ALTENMÜLLER G. H. [Kernspaltung]: Kernspaltung: Vor 50 Jahren entdeckt - Wie wird sie heute verantwortet? Naturwissenschaften Bd. 76, 182-184, 1989.

ALTNER G. [Wirklichkeitserfahrung]: Defizite wissenschaftlicher Wirklichkeitserfahrung aus ökologischer und ökopolitischer Perspektive. In Schatz [Wissenschaft, S. 221].

ALTNER G. [Fortschrittsprozeß]: Wehrlosigkeit und Auftrag der Intellektuellen im wissenschaftlichen Fortschrittsprozeß. In: Schatz [Utopia, S. 297].

ALTNER G. [Überlebenskrise]: Die Überlebenskrise in der Gegenwart. Ansätze zum Dialog mit der Natur in Naturwissenschaft und Theologie. Wiss. Buchgesellschaft, Darmstadt, 1988.

ALTNER G. (Hrg.) [Theologie]: Ökologische Theologie. Perspektiven zur Orientierung. Kreuz Verlag, 1989.

APPLEYARD B. [Mensch]: Der halbierte Mensch. Die Naturwissenschaften und die Seele des modernen Menschen. Kindler, München, 1992.

ASTON F. W. [Theory]: Forty Years of Atomic Theory. In: Needham J., Pagel W. [Science].

BACON F. [Cogita]: Cogita et Visa de Interpretatione Naturae sive de Scientia Operativa. In: Bacon F. [Works, III, S. 616].

BACON F. [Works]: The Works of Francis Bacon. Hrg.: J. Spedding, R. L. Ellis und D. D. Heath, II - III, London, 1859, I, London, 1864.

BALZER W. [Theorie]: Empirische Theorien: Modelle - Strukturen - Beispiele. Die Grundzüge der modernen Wissenschaftstheorie. Friedr. Vieweg u. Sohn, Braunschweig Wiesbaden, 1982.

BAUER E., LUCADOU W. v. (Hrsg.) [Psi]: Psi - was verbirgt sich dahinter? Wissenschaftler untersuchen parapsychologische Erscheinungen. Verlag Herder, Freiburg i. Br., 1984.

BENDER H. (Hrsg.) [Parapsychologie]: Parapsychologie - Entwicklung, Ergebnisse, Probleme. Wiss. Buchgesellschaft, Darmstadt, 1980.

BERTHOLET A. [Religionen]: Wörterbuch der Religionen. Alfred Kröner Verlag, Stuttgart, 1985.

BOPP J. (Hrsg.) [Baum]: Der heilige Baum. Ein indianisches Weisheitsbuch. Walter-Verlag, Olten und Freiburg im Breisgau, 1990.

BOZORTH R. M. [Ferromagnetism]: Ferromagnetism. D. Van Nostrand Company, Inc., Princeton New Jersey, 6. Aufl., 1961.

BYDLINSKI G., RECHEIS K. [Erde]: Die Erde ist eine Trommel. Indianerweisheit aus Gegenwart und Vergangenheit. Verlag Herder im Breisgau, 1988.

CARNAP R. [Naturwissenschaft]: Einführung in die Philosophie der Naturwissenschaft. Nymphenburger Verlagshandlung, München, 1969.

CHARGAFF E. [Warnungstafeln]: Warnungstafeln. Die Vergangenheit spricht zur Gegenwart. Klett-Cotta, Stuttgart, 1982.

CHARGAFF E. [Alternativen]: Abscheu vor der Weltgeschichte. Fragmente vom Menschen. Klett-Cotta, Stuttgart, 1988.

CHARGAFF E. [Geheimnis]: Unbegreifliches Geheimnis. Wissenschaft als Kampf für und gegen die Natur. Klett-Cotta, Stuttgart, 1981.

CRICK F. H. C. [Remark]: In: Wolstenholm G. [Future].

DAHL J. [Illusion]: Die letzte Illusion. Die Zeit, Nr. 48, 23. Nov. 1990, S. 57.

DAHL J. [Verwegenheit]: Die Verwegenheit der Ahnungslosen. Klett-Cotta, Stuttgart, 1989.

DAHL J. [Verwüstung]: Der unbegreifliche Garten und seine Verwüstung. dtv / Klett-Cotta, München, 1984.

DAHL J., SCHICKERT H. (Hrsg.) [Erde] : Die Erde weint. Frühe Warnungen vor der Verwüstung. dtv/Klett-Cotta, München, 1987.

DIEDERICH W. [Rekonstruktionen]: Strukturalistische Rekonstruktionen. Friedr.Vieweg u. Sohn, Braunschweig Wiesbaden, 1981.

DIEKMANN B. [Maßnahmen]: Treibhaus Erde. Maßnahmen. Geo, S. 74-80, H. 9, 1989.

DRÖSSER C., PFLAUM T. [Müll]: Unser Wohlstand müllt sich tot. Geo, H. 7, 1990.

DÜRR H. P. [Physik]: Physik und Transzendenz. Scherz Verlag, Bern München Wien, 1986.

EHRLICH, EHRLICH, HOLDREN [Humanökologie]: Humanökologie. Der Mensch im Zentrum einer neuen Wissenschaft. Springer-Verlag, Berlin Heidelberg New York, 1975.

EINSTEIN A. [Weltbild]: Mein Weltbild. Querido Verlag, Amsterdam, 1934.

EINSTEIN A. [Peace]: On Peace. Hrg.: O. Nathan und H. Norden. Mit einem Vorwort von Bertrand Russell. New York, 1960.

EURICH C. [Megamaschine]: Die Megamaschine. Vom Sturm der Technik auf das Leben und Möglichkeiten des Widerstandes. Luchterhand Literaturverlag, Darmstadt, 1988.

F. C. [Treibhauseffekt]: Kein Beweis für den Treibhauseffekt! ÖZE, Jg. 46, H. 7, Juni 1993, S-. A 117.

FASCHING G. [Sternbilder]: Sternbilder und ihre Mythen. Springer-Verlag, Wien New York, 1993.

FASCHING G. [Bilder]: Die Philosophie der Bilder. Zeitschrift für Ganzheitsforschung. Philosophie Gesellschaft Wirtschaft. Neue Folge, 36. Jahrgang, Wien, III/1992.

FASCHING G. [Gegenwurf]: Die empirisch- wissenschaftliche Sicht. Springer-Verlag, Wien New York, 1989.

FASCHING G. [Werkstoffe]: Werkstoffe für die Elektrotechnik. Mikrophysik Struktur Eigenschaften. Springer-Verlag, Wien New York, 3. Auflage, 1993.

FASCHING G. [Wirklichkeit]: Zerbricht die Wirklichkeit? Springer-Verlag, Wien New York, 1991.

FEYERABEND P. [Methodenzwang]: Wider den Methodenzwang. Suhrkamp Verlag, Frankfurt a. M., 1983.

FONTENELLE B. [Oeuvres]: Oeuvres de Fontenelle. VI: Préface sur l'utilité des mathématiques et de la physique et sur les travaux de l'Académie des Sciences. Paris, 1790.

FRISCH O. R. [Division]: Physical Evidence for the Division of Heavy Nuclei under Neutron Bombardement. Nature Bd. 143, 276, 1939.

GALILEI G. [Discorsi]: Discorsi e dimostrazioni matematiche, intorno à due nuove scienze. Leida, 1638. (Zitiert nach: Sexl R. U. [Physik, Teil 1A, S. 13].

GLASENAPP H. v. [Weltreligionen]: Die fünf Weltreligionen. Brahmanismus, Buddhismus, Chinesischer Universismus, Christentum, Islam. Eugen Diederichs Verlag, 11. Auflage, München, 1992.

GOETHE J. W. [Naturwissenschaft II]: Zur Naturwissenschaft II. Goethes Werke, Bd 30, Bibliographisches Institut, Leipzig Wien, 1900.

GOODALL J., NICHOLS M. K. [Verhängnis]: Das Verhängnis, uns Menschen verwandt zu sein. Geo, S. 66-87, H. 7, 1991.

GORE A. [Gleichgewicht]: Wege zum Gleichgewicht. Ein Marshallplan für die Erde. S. Fischer Verlag, Frankfurt a. M., 1992.

GUARDINI R. [Pascal]: Christliches Bewußtsein. Versuche über Pascal. Kösel-Verlag, München, 1956.

HAHN O., STRASSMANN F. [Neutronen]: Über den Nachweis und das Verhalten der bei der Bestrahlung des Urans mittels Neutronen entstehenden Erdalkalimetalle. Naturwissenschaften, Bd. 27, 11, 6. Jänner 1939.

HALDANE J. B. S. [Possibilities]: Biological Possibilities in the Next Ten Thousand Years. In: Westenholme [Future].

HEARINGS [Civil Defense 1961]: Hearings before a Subcommittee on Government Operations, House of Representatives, Eighty-Seventh Congress, First Session. Civil Defense - 1961. August 1, 2, 3, 4, 7, 8, 9, 1961. United States Government Printing Office, Washington, 1961.

HEARINGS [Civil Defense 1958]: Hearings before a Subcommittee of the Committee on Government Operations, House of Representatives, Eighty-Fifth Congress, Second Session. Civil Defense. Part I: Atomic Shelter Test. Part II: Reorganization Plan No. 1 of 1958. April 30, May 1, 2, 5-8. United States Government Office, Washington, 1958.

HOFMANN H. [Feld]: Das elektromagnetische Feld. Theorie und grundlegende Anwendungen. Springer-Verlag, Wien New York, 3. Aufl., 1986.

HOFMANN H. [Kraftangriff]: Über die Deutung der Maxwellschen Gleichungen mit Hilfe elektrischer und magnetischer Mengen. Acta Physica Austriaca, Bd. XI, H. 2, 241 - 251, 1957.

HOMMES U. [Erfahrungsverlust]: Entmündigung durch Wissenschaft? Zum Problem des Erfahrungsverlustes in der gegenwärtigen Welt. In: Schatz [Wissenschaft, S. 133].

HUND F. [Begriffsgeschichte]: Geschichte der physikalischen Begriffe. Bibl. Inst., Mannheim Wien Zürich, 1972.

IBRAHIM F. N. [Assuan-Staudamm]: Der Assuan-Staudamm. Vom Scheitern eines Großprojektes. Bild der Wissenschaft, S. 76-83, H.4, 1983.

ILLIES J. [Wissenschaft]: Brauchen wir eine andere Wissenschaft? In: Schatz [Wissenschaft, S. 265].

JARRET H. [Science]: Science and Resources, Prospects and Implications of Technological Advance. Baltimor, 1959.

JASPERS K. [Philosophen]: Die großen Philosophen. 1. Band. R. Piper u. Co. Verlag, München, 1959.

JASPERS K. [Einführung]: Einführung in die Philosophie. R. Piper u. Co Verlag, München, 1957.

JASPERS K. [Weltorientierung]: Philosophie. Bd. I: Philosophische Weltorientierung. Springer-Verlag, Berlin Göttingen Heidelberg, 1956.

JONAS H. [Forschung]: Freiheit der Forschung und öffentliches Wohl. In: Schatz [Wissenschaft, S. 101].

JONAS H. [Verantwortung]: Das Prinzip Verantwortung. Versuch einer Ethik für die technologische Zivilisation. Suhrkamp Taschenbuch Verlag, Frankfurt a. M., 1984.

KLINGHOLZ R., STECHE W. [Demontage]: Abbruch ins Ungewisse. Die erste Demontage eines Kernkraftwerkes. Geo, S. 132-150, H.8, 1992.

KLINGHOLZ R., MENZEL P. [Öl-Report]: Der Fluch des schwarzen Goldes. Öl-Report. Geo, S. 16-42, H. 9, 1991.

KLINGHOLZ R., PILLITZ C. [Sintflut]: Die Sintflut hat schon begonnen. Geo, S. 20-34, H. 7, 1991.

KOJA F. [Wissenschaftsfreiheit]: Wissenschaftsfreiheit und Universität. Universitätsverlag Anton Pustet, Salzburg, 1976.

KUHN T. S. [Kopernikus]: Die kopernikanische Revolution. Friedr. Vieweg u. Sohn, Braunschweig Wiesbaden, 1981.

KUHN T. S. [Struktur]: Die Struktur wissenschaftlicher Revolutionen. Suhrkamp Verlag, Frankfurt a. M., 1967.

LAPLACE P. S. [Oeuvres]: Oeuvres Complètes de Laplace. Bd. 8 (1841), S. 144-145. Herausgegeben von der Académie Royale des Sciences de Paris.

LAUE M. v. [Relativitätstheorie]: Die Relativitätstheorie. Bd. 1: Die spezielle Relativitätstheorie. Bd. 2: Die allgemeine Relativitätstheorie. Friedr. Vieweg u. Sohn, Braunschweig, 1955.

LAUSCH E. [Treibhaus]: Treibhaus Erde. Geo, S. 37-60, H. 9, 1989.

LIN YUTANG [Laotse]: Die Weisheit des Laotse. Fischer Taschenbuch Verlag, Frankfurt a. M., 1989.

LOCKER A. [Selbsttäuschung]: Die Selbsttäuschung der "Evolutionären Erkenntnistheorie". IBW Journal, Bd. 23, S. 13-20, Juni 1985.

LUTZENBERGER J. [Anfragen]: Anfragen an Europa. Vortrag im Rahmen des Deutschen Evangelischen Kirchentages in Berlin, 1989.

MAYER H. [Waldsterben]: Gefährdung der Wälder Europas durch Baum- und Waldsterben. Wissenschaftliche Nachrichten, Wien, S. 5-11, Apr. 1985.

Mc CULLOCH W. S. [Mind]: Embodiments of Mind. M. I. T. Press, Cambridge (Mass.), 1965.

McKIBBEN B. [Natur]: Das Ende der Natur. Die globale Umweltkrise bedroht unser Überleben. Piper, München Zürich, 1992.

MEADOWS D. H., MEADOWS D. L., RANDERS J. [Grenzen]: Die neuen Grenzen des Wachstums. Die Lage der Menschheit: Bedrohung und Zukunftschancen. Deutsche Verlags-Anstalt, Stuttgart, 2. Auflage, 1992.

MEITNER L., FRISCH O. R. [Reaction]: Desintegration of Uranium by Neutrons: A New Type of Nuclear Reaction. Nature Bd. 143, 239, 1939.

MEYER-ABICH K. M. [Wissenschaftsfreiheit]: Wie ist die Freiheit der Wissenschaft heute noch zu verantworten? In: Schatz [Wissenschaft, S. 117].

MÜLLER A. M. K. [Grundlagenkrise]: Die Grundlagenkrise der Wissenschaft als Herausforderung für neue Formen der Wahrnehmung. In: Schatz [Wissenschaft, S. 233].

MYERS N. [Ökoatlas]: Gaia. Der Öko-Atlas unserer Erde. Fischer Taschenbuch Verlag, Frankfurt a. M., 1985.

NEEDHAM J., PAGEL W. [Science]: Background to Modern Science. Ten Lectures at Cambridge, arranged by the History of Science Committee. Cambridge, 1936.

NN. [Raubzug]: Raubzug unter dem Äquator. Geo, S. 152, H. 12, 1990.

NN. [Katechismus]: Katechismus der Katholischen Kirche. R. Oldenbourg Verlag, München, 1993.

OPPENHEIMER J. R. [Hearings]: In the Matter of J. Robert Oppenheimer. Transcript of Hearing Before Personnel Security Board. Washington April 12, 1954 through May 6, 1954. United States Government Printing Office, Washington, 1954.

POINCARÉ H. [Wissenschaft]: Der Wert der Wissenschaft. G. B. Teubner, Leipzig, 1906.

POPPER K. [Logik]: Logik der Forschung. J. C. B. Mohr (Paul Siebeck), 8. Aufl., Tübingen, 1984.

POSTMAN N. [Technopol]: Das Technopol. Die Macht der Technologien und die Entmündigung der Gesellschaft. S. Fischer Verlag, Frankfurt a. M., 1992.

RAND [Report]: Rand Report on a Study of Nonmilitary Defense. In: Hearings [Civil Defense 1958].

REVERS W. J. [Psychologie]: Horizonte humanistischer Alternativen in der Psychologie. In: Schatz [Wissenschaft, S. 207].

REVERS W. J. [Realitätsbewußtsein]: Die szientistische Einäugigkeit des modernen Realitätsbewußtseins.. In: Schatz [Überlebenskrise, S. 198].

RIESEBERG H. J. [Naturzerstörung]: Verbrauchte Welt. Die Geschichte der Naturzerstörung und Thesen zur Befreiung vom Fortschritt. Ullstein Sachbuch Nr. 34478, 1988.

ROSSNAGEL A. [Grundrechte]: Radioaktiver Zerfall der Grundrechte? Zur Verfassungsverträglichkeit der Kernenergie.Verlag C. H. Beck, München, 1984.

SCHATZ O. [Wissenschaft]: Brauchen wir eine andere Wissenschaft? Salzburger Humanismusgespräche. Verlag Styria, Graz Wien Köln, 1977.

SCHATZ O. [Utopia]: Abschied von Utopia. Anspruch und Auftrag der Intellektuellen. Verlag Styria, Graz Wien Köln, 1977.

SCHATZ O. [Überlebenskrise]: Hoffnung in der Überlebenskrise? Salzburger Humanismusgespräche. Verlag Styria, Graz Wien Köln, 1979.

SCHLINGENSIEPEN I. [Crash]: Bis zum nächsten Crash. Tanker auf großer Fahrt. Greenpeace Magazin, S. 22-27, Nr. 1, 1991.

SCHREIBER J., FISCHER G. [La Hague]: ... denn das Geld, das strahlt ja nicht. Geo, S. 89, H.7, 1992.

SEXL R. U. et al [Physik]: Physik. Bd. 1A, 2A, Verlag Carl Ueberreuter, Wien, 1977.

SODDY F. [Radium]: Le Radium. Interprétation et Renseignements de la Radioactivité. Paris, 1926.

SOMMERFELD A., BOPP N. [Kraftangriff]: Zum Problem der Maxwellschen Spannungen. Ann. d. Physik, Bd. 8, H. 1/2, 1950.

STEGMÜLLER W. [Theoriendynamik]: Probleme und Resultate der Wissenschaftstheorie und Analytischen Philosophie. Bd. II: Theorie und Erfahrung. 2. Halbband: Theorienstrukturen und Theoriendynamik. Springer-Verlag, Berlin Heidelberg New York, 1973.

STEGMÜLLER W. [Begriffsbildung]: Probleme und Resultate der Wissenschaftstheorie und Analytischen Philosophie. Bd.II: Erfahrung, Festsetzung, Hypothese und Einfachheit in der wissenschaftlichen Begriffs- und Theorienbildung. Springer-Verlag, Berlin Heidelberg New York, 1970.

STEGMÜLLER W. [Erklärung]: Probleme und Resultate der Wissenschaftstheorie und Analytischen Philosophie. Bd. I: Erklärung - Begründung - Kausalität. Springer-Verlag, Berlin Heidelberg New York, 1983.

TENBRUCK F. [Wissenschaft]: Anatomie der Wissenschaft. Zur Frage einer anderen Wissenschaft. In: Schatz [Wissenschaft, S. 89].

THORNDIKE L. [History]: A History of Magic and Experimental Science During the First Thirteen Centuries of Our Era. 4. Auflage, New York, 1947.

VfGH.Erk: Verfassungsgerichtshof-Erkenntnis. Österreichische Staatsdruckerei, Wien.

WAGNER F. [Wissenschaft]: Die Wissenschaft und die gefährdete Welt. Eine Wissenschaftssoziologie der Atomphysik. C. H. Beck'sche Verlagsbuchhandlung, München, 1964.

WALLACE H. A. [Future]: Genetic and Man's Future. In: Jarret H. [Science].

WEIZENBAUM J. [Computer]: Die Macht der Computer und die Ohnmacht der Vernunft. Suhrkamp Taschenbuch Wissenschaft Nr. 274, Frankfurt a. M., 1978.

WEIZENBAUM J. [Verantwortung]: Kurs auf den Eisberg. Die Verantwortung des einzelnen und die Diktatur der Technik. Piper, München Zürich, 3. Auflage, 1987.

WEIZENBAUM J. [Wissenschaft]: Angst vor der heutigen Wissenschaft. In: Schatz [Wissenschaft, S. 35].

WEIZENBAUM J., HAEFNER K. [Menschen]: Sind Computer die besseren Menschen? Ein Streitgespräch. Hrg.: M. Haller. Piper, München Zürich, 1992.

WEIZSÄCKER E. U. v. [Erdpolitik]: Erdpolitik: Ökologische Realpolitik an der Schwelle zum Jahrhundert der Umwelt. Wissenschaftliche Buchgesellschaft, Darmstadt, 1989.

WIELAND J., MADEJ H. [Tschernobyl]: Die Kinder von Tschernobyl. Geo, S. 36, H.3, 1991.

WOLSTENHOLME G. [Future]: Man and his Future. A Ciba Foundation Volume. London, 1963.

ZIMAN J. [Erkenntnis]: Wie zuverlässig ist wissenschaftliche Erkenntnis? Friedr. Vieweg u. Sohn, Braunschweig Wiesbaden, 1982.

Sachregister

218